NUEVA
ANTOLOGIA
PERSONAL

por
JORGE LUIS BORGES

siglo
veintiuno
editores

siglo veintiuno editores, s.a. de c.v.
CERRO DEL AGUA 248, DELEGACIÓN COYOACÁN, 04310 MÉXICO, D.F.

siglo veintiuno de españa editores, s.a.
CALLE PLAZA 5, 28043 MADRID, ESPAÑA

portada de germán montalvo

primera edición, 1968
vigésima edición, 1994
© siglo xxi editores, s.a. de c.v.
isbn 968-23-1678-2

ÍNDICE

Todo regalo verdadero es recíproco. Dios, de Quien recibimos el mundo, recibe de Sus criaturas el mundo. ¿Qué es una dedicatoria, qué es esta página? No es el don de esa cosa entre las cosas, un libro, ni de los caracteres que lo componen; es, de algún modo mágico, el don del inaccesible tiempo en que se escribió y, lo que sin duda no es menos íntimo, del mañana y del hoy. Sólo podemos dar el amor, del cual todas las otras cosas son símbolos. Elsa, tuyo es el libro. ¿A qué agregar vanas y laboriosas palabras a lo que sentimos los dos?

J. L. B.

Buenos Aires, 13 de junio de 1968

El Indostán atribuye sus grandes libros a la labor de comunidades, a personajes de los mismos libros, a dioses, a héroes o, simplemente, al Tiempo. Tales atribuciones son, por supuesto, meras evasiones o juegos; no así la última. Nadie puede compilar una antología que sea mucho más que un museo de sus "simpatías y diferencias", pero el Tiempo acaba por editar antologías admirables. Lo que un hombre no puede hacer, las generaciones lo hacen. Los infolios de Calderón dejan de abrumarnos y perduran los límpidos tercetos del Anónimo Sevillano; nueve o diez páginas de Coleridge borran la gloriosa obra de Byron (y el resto de la obra de Coleridge). No hay antología cronológica que no empiece bien y no acabe mal; el Tiempo ha compilado el principio y el doctor Menéndez y Pelayo el fin.

En breve la cifra de mis años será setenta. El Tiempo, cuya perspicacia crítica he ponderado, persiste en recordar dos textos que me disgustan por su fatuidad laboriosa: *Fundación mítica de Buenos Aires* y *Hombre de la esquina rosada*. Si los he incluido aquí, es porque los espera el lector. Quién sabe qué virtud oscura habrá en ellos. Naturalmente, prefiero ser juzgado por *Límites*, por *La intrusa*, por *El Golem* o por *Junín*.

Sospecho que un autor debe intervenir lo menos posible en la elaboración de su obra. Debe tratar de ser un amanuense del Espíritu o de la Musa (ambas palabras son sinónimas), no de sus opiniones, que son lo más superficial que hay en él. Así lo entendió Rudyard Kipling, el más ilustre de los escritores comprometidos. A un escritor —nos dijo— le está dado inventar una fábula, pero no la moralidad de esa fábula.

Ojalá las páginas que he elegido prosigan su intrincado destino en la conciencia del lector. Mis temas

3

habituales están en ellas: la perplejidad metafísica, los muertos que perduran en mí, la germanística, el lenguaje, la patria, la paradójica suerte de los poetas.

J. L. B.

Buenos Aires, 1967

I
POESÍA

LA NOCHE QUE EN EL SUR LO VELARON

A Letizia Álvarez de Toledo

Por el deceso de alguien
—misterio cuyo vacante nombre poseo, cuya realidad
    no abarcamos—
hay hasta el alba una casa abierta en el Sur,
una ignorada casa que no estoy destinado a rever,
pero que me espera esta noche
con desvelada luz en las altas horas del sueño,
demacrada de malas noches, distinta,
minuciosa de realidad.

A su vigilia gravitada en muerte camino
por las calles elementales como recuerdos,
por el tiempo abundante de la noche,
sin más oíble vida
que los vagos hombres de barrio junto al apagado
almacén
y algún silbido solo en el mundo.

Lento el andar, en la posesión de la espera,
llego a la cuadra y a la casa y a la sincera puerta
    que busco
y me reciben hombres obligados a gravedad
que participaron de los años de mis mayores,
y nivelamos destinos en una pieza habilitada que mira
    al patio
—patio que está bajo el poder y en la integridad
    de la noche—
y decimos, porque la realidad es mayor, cosas
    indiferentes
y somos desganados y argentinos en el espejo
y el mate compartido mide horas vanas.

7

Me conmueven las menudas sabidurías
que en todo fallecimiento de hombres se pierden
—hábito de unos libros, de una llave, de un cuerpo
    entre los otros—
frecuencias irrecuperables que fueron
la precisión y la amistad del mundo para él.
Yo sé que todo privilegio, aunque oscuro, es de linaje
    de milagro
y mucho lo es el de participar en esta vigilia,
reunida alrededor de lo que no se sabe: del Muerto,
reunida para incomunicar o guardar su primera noche
    en la muerte.

(El velorio gasta las caras;
los ojos se nos están muriendo en lo alto como Jesús.)
¿Y el muerto, el increíble?
Su realidad está bajo las flores diferentes de él
y su mortal hospitalidad nos dará
un recuerdo más para el tiempo
y sentenciosas calles del Sur para merecerlas despacio
y brisa oscura sobre la frente que vuelve
y la noche que de la mayor congoja nos libra:
la prolijidad de lo real.

FUNDACIÓN MÍTICA DE BUENOS AIRES

¿Y fue por este río de sueñera y de barro
que las proas vinieron a fundarme la patria?
Irían a los tumbos los barquitos pintados
entre los camalotes de la corriente zaina.

Pensando bien la cosa, supondremos que el río
era azulejo entonces como oriundo del cielo
con su estrellita roja para marcar el sitio
en que ayunó Juan Díaz y los indios comieron.

Lo cierto es que mil hombres y otros mil arribaron
por un mar que tenía cinco lunas de anchura
y aún estaba poblado de sirenas y endriagos
y de piedras imanes que enloquecen la brújula.

Prendieron unos ranchos trémulos en la costa,
durmieron extrañados. Dicen que en el Riachuelo,
pero son embelecos fraguados en la Boca.
Fue una manzana entera y en mi barrio: en Palermo.

Una manzana entera pero en mitá del campo
presenciada de auroras y lluvias y sudestadas.
La manzana pareja que persiste en mi barrio:
Guatemala, Serrano, Paraguay, Gurruchaga.

Un almacén rosado como revés de naipe
brilló y en la trastienda conversaron un truco;
el almacén rosado floreció en un compadre,
ya patrón de la esquina, ya resentido y duro.

El primer organito salvaba el horizonte
con su achacoso porté, su habanera y su gringo.
El corralón seguro ya opinaba: YRIGOYEN,
algún piano mandaba tangos de Saborido.

Una cigarrería sahumó como una rosa
el desierto. La tarde se había ahondado en ayeres,
los hombres compartieron un pasado ilusorio.
Sólo faltó una cosa: la vereda de enfrente.

A mí se me hace cuento que empezó Buenos Aires:
la juzgo tan eterna como el agua y el aire.

AJEDREZ

I

En su grave rincón, los jugadores
rigen las lentas piezas. El tablero
los demora hasta el alba en su severo
ámbito en que se odian dos colores.

Adentro irradian mágicos rigores
las formas: torre homérica, ligero
caballo, armada reina, rey postrero,
oblicuo alfil y peones agresores.

Cuando los jugadores se hayan ido,
cuando el tiempo los haya consumido,
ciertamente no habrá cesado el rito.

En el Oriente se encendió esta guerra
cuyo anfiteatro es hoy toda la tierra.
Como el otro, este juego es infinito.

II

Tenue rey, sesgo alfil, encarnizada
reina, torre directa y peón ladino
sobre lo negro y blanco del camino
buscan y libran su batalla armada.

No saben que la mano señalada
del jugador gobierna su destino,
no saben que un rigor adamantino
sujeta su albedrío y su jornada.

También el jugador es prisionero
(la sentencia es de Omar) de otro tablero
de negras noches y de blancos días.

Dios mueve al jugador, y éste, la pieza.
¿Qué Dios detrás de Dios la trama empieza
de polvo y tiempo y sueño y agonías?

EL RELOJ DE ARENA

Está bien que se mida con la dura
sombra que una columna en el estío
arroja o con el agua de aquel río
en que Heráclito vio nuestra locura.

El tiempo, ya que al tiempo y al destino
se parecen los dos: la imponderable
sombra diurna y el curso irrevocable
del agua que prosigue su camino.

Está bien, pero el tiempo en los desiertos
otra sustancia halló, suave y pesada,
que parece haber sido imaginada
para medir el tiempo de los muertos.

Surge así el alegórico instrumento
de los grabados de los diccionarios,
la pieza que los grises anticuarios
relegarán al mundo ceniciento.

Del alfil desparejo, de la espada
inerme, del borroso telescopio,
del sándalo mordido por el opio,
del polvo, del azar y de la nada.

¿Quién no se ha demorado ante el severo
y tétrico instrumento que acompaña
en la diestra del dios a la guadaña
y cuyas líneas repitió Durero?

Por el ápice abierto el cono inverso
deja caer la minuciosa arena,
oro gradual que se desprende y llena
el cóncavo cristal de su universo.

Hay un agrado en observar la arcana
arena que resbala y que declina
y, a punto de caer, se arremolina
con una prisa que es del todo humana.

La arena de los ciclos es la misma
e infinita es la historia de la arena;
así, bajo tus dichas o tu pena,
la invulnerable eternidad se abisma.

No se detiene nunca la caída.
Yo me desangro, no el cristal. El rito
de decantar la arena es infinito
y con la arena se nos va la vida.

En los minutos de la arena creo
sentir el tiempo cósmico: la historia
que encierra en sus espejos la memoria
o que ha disuelto el mágico Leteo.

El pilar de humo y el pilar de fuego,
Cartago y Roma y su apretada guerra,
Simón Mago, los siete pies de tierra
que el rey sajón ofrece al rey noruego,

todo lo arrastra y pierde este incansable
hilo sutil de arena numerosa.
No he de salvarme yo, fortuita cosa
de tiempo, que es materia deleznable.

ALUSIÓN A LA MUERTE DEL CORONEL FRANCISCO BORGES (1835-74)

Lo dejo en el caballo, en esa hora
crepuscular en que buscó la muerte;
que de todas las horas de su suerte
ésta perdure, amarga y vencedora.
Avanza por el campo la blancura
del caballo y del poncho. La paciente
muerte acecha en los rifles. Tristemente
Francisco Borges va por la llanura.
Esto que lo cercaba, la metralla,
esto que ve, la pampa desmedida,
es lo que vio y oyó toda la vida.
Está en lo cotidiano, en la batalla.
Alto lo dejo en su épico universo
y casi no tocado por el verso.

Soy, pero soy también el otro, el muerto,
el otro de mi sangre y de mi nombre;
soy un vago señor y soy el hombre
que detuvo las lanzas del desierto.
Vuelvo a Junín, donde no estuve nunca,
a tu Junín, abuelo Borges. ¿Me oyes,
sombra o ceniza última, o desoyes
en tu sueño de bronce esta voz trunca?
Acaso buscas por mis vanos ojos
el épico Junín de tus soldados,
el árbol que plantaste, los cercados
y en el confín la tribu y los despojos.
Te imagino severo, un poco triste.
Quién me dirá cómo eras y quién fuiste.

Junín, 1966

EL MAR

Antes que el sueño (o el terror) tejiera
mitologías y cosmogonías,
antes que el tiempo se acuñara en días,
el mar, el siempre mar, ya estaba y era.
¿Quién es el mar? ¿Quién es aquel violento
y antiguo ser que roe los pilares
de la tierra y es uno y muchos mares
y abismo y resplandor y azar y viento?
Quien lo mira lo ve por vez primera,
siempre. Con el asombro que las cosas
elementales dejan, las hermosas
tardes, la luna, el fuego de una hoguera.
¿Quién es el mar, quién soy? Lo sabré el día
ulterior que sucede a la agonía.

EL LABERINTO

Zeus no podría desatar las redes
de piedra que me cercan. He olvidado
los hombres que antes fui; sigo el odiado
camino de monótonas paredes
que es mi destino. Rectas galerías
que se curvan en círculos secretos
al cabo de los años. Parapetos
que ha agrietado la usura de los días.
En el pálido polvo he descifrado
rastros que temo. El aire me ha traído
en las cóncavas tardes un bramido
o el eco de un bramido desolado.
Sé que en la sombra hay Otro, cuya suerte
es fatigar las largas soledades
que tejen y destejen este Hades
y ansiar mi sangre y devorar mi muerte.
Nos buscamos los dos. Ojalá fuera
éste el último día de la espera.

LABERINTO

No habrá nunca una puerta. Estás adentro
y el alcázar abarca el universo
y no tiene ni anverso ni reverso
ni externo muro ni secreto centro.
No esperes que el rigor de tu camino
que tercamente se bifurca en otro,
que tercamente se bifurca en otro,
tendrá fin. Es de hierro tu destino
como tu juez. No aguardes la embestida
del toro que es un hombre y cuya extraña
forma plural da horror a esta maraña
de interminable piedra entretejida.
No existe. Nada esperes, ni siquiera
en el negro crepúsculo la fiera.

A UN POETA SAJÓN

Tú cuya carne que hoy es polvo y planeta
pesó como la nuestra sobre la tierra,
tú cuyos ojos vieron el sol, esa famosa estrella,
tú que viviste no en el rígido ayer
sino en el incesante presente,
en el último punto y ápice vertiginoso del tiempo,
tú que en tu monasterio fuiste llamado
por la antigua voz de la épica,
tú que tejiste las palabras,
tú que cantaste la victoria de Brunanburh
y no la atribuiste al Señor
sino a la espada de tu rey,
tú que con júbilo feroz cantaste las espadas de hierro,
la vergüenza del viking,
el festín del cuervo y del águila,
tú que en la oda militar congregaste
las rituales metáforas de la estirpe,
tú que en un tiempo sin historia
viste en el ahora el ayer
y en el sudor y sangre de Brunanburh
un cristal de antiguas auroras,
tú que tanto querías a tu Inglaterra
y no la nombraste,
hoy no eres otra cosa que unas palabras
    que los germanistas anotan.
Hoy no eres otra cosa que mi voz
cuando revive tus palabras de hierro.

Pido a mis dioses o a la suma del tiempo
que mis días merezcan el olvido,
que mi nombre sea Nadie como el de Ulises,
pero que algún verso perdure
en la noche propicia a la memoria
o en las mañanas de los hombres.

JONATHAN EDWARDS (1703-1758)

Lejos de la ciudad, lejos del foro
clamoroso y del tiempo, que es mudanza,
Edwards, eterno ya, sueña y avanza
a la sombra de árboles de oro.
Hoy es mañana y es ayer. No hay una
cosa de Dios en el sereno ambiente
que no lo exalte misteriosamente,
el oro de la tarde o de la luna.
Piensa feliz que el mundo es un eterno
instrumento de ira y que el ansiado
cielo para unos pocos fue creado
y casi para todos el infierno.
En el centro puntual de la maraña
hay otro prisionero, Dios, la Araña.

Ese alto caballero americano
cierra el volumen de Montaigne y sale
en busca de otro goce que no vale
menos, la tarde que ya exalta el llano.
Hacia el hondo poniente y su declive,
hacia el confín que ese poniente dora,
camina por los campos como ahora
por la memoria de quien esto escribe.
Piensa: Leí los libros esenciales
y otros compuse que el oscuro olvido
no ha de borrar. Un dios me ha concedido
lo que es dado saber a los mortales.
Por todo el continente anda mi nombre;
no he vivido. Quisiera ser otro hombre.

UN SOLDADO DE LEE (1862)

Lo ha alcanzado una bala en la ribera
de una clara corriente cuyo nombre
ignora. Cae de boca. (Es verdadera
la historia y más de un hombre fue aquel hombre.)
El aire de oro mueve las ociosas
hojas de los pinares. La paciente
hormiga escala el rostro indiferente.
Sube el sol. Ya han cambiado muchas cosas
y cambiarán sin término hasta cierto
día del porvenir en que te canto
a ti que, sin la dádiva del llanto,
caíste como cae un hombre muerto.
No hay un mármol que guarde tu memoria;
seis pies de tierra son tu oscura gloria.

El olor del café y de los periódicos.
El domingo y su tedio. La mañana
y en la entrevista página esa vana
publicación de versos alegóricos
de un colega feliz. El hombre viejo
está postrado y blanco en su decente
habitación de pobre. Ociosamente
mira su cara en el cansado espejo.
Piensa, ya sin asombro, que esa cara
es él. La distraída mano toca
la turbia barba y la saqueada boca.
No está lejos el fin. Su voz declara:
casi no soy, pero mis versos ritman
la vida y su esplendor. Yo fui Walt Whitman.

La larga postración lo ha acostumbrado
a anticipar la muerte. Le daría
miedo salir al clamoroso día
y andar entre los hombres. Derribado,
Enrique Heine piensa en aquel río,
el tiempo, que lo aleja lentamente
de esa larga penumbra y del doliente
destino de ser hombre y ser judío.
Piensa en las delicadas melodías
cuyo instrumento fue, pero bien sabe
que el trino no es del árbol ni del ave
sino del tiempo y de sus vagos días.
No han de salvarte, no, tus ruiseñores,
tus noches de oro y tus cantadas flores.

Si (como el griego afirma en el Cratilo)
el nombre es arquetipo de la cosa,
en las letras de *rosa* está la rosa
y todo el Nilo en la palabra *Nilo*.

Y, hecho de consonantes y vocales,
habrá un terrible Nombre, que la esencia
cifre de Dios y que la Omnipotencia
guarde en letras y sílabas cabales.

Adán y las estrellas lo supieron
en el Jardín. La herrumbre del pecado
(dicen los cabalistas) lo ha borrado
y las generaciones lo perdieron.

Los artificios y el candor del hombre
no tienen fin. Sabemos que hubo un día
en que el pueblo de Dios buscaba el Nombre
en las vigilias de la judería.

No a la manera de otras que una vaga
sombra insinúan en la vaga historia,
aún está verde y viva la memoria
de Judá León, que era rabino en Praga.

Sediento de saber lo que Dios sabe,
Judá León se dio a permutaciones
de letras y complejas variaciones
y al fin pronunció el Nombre que es la Clave,

la Puerta, el Eco, el Huésped y el Palacio,
sobre un muñeco que con torpes manos
labró, para enseñarle los arcanos
de las Letras, del Tiempo y del Espacio.

El simulacro alzó los soñolientos
párpados y vio formas y colores
que no entendió, perdidos en rumores,
y ensayó temerosos movimientos.

Gradualmente se vio (como nosotros)
aprisionado en esta red sonora
de Antes, Después, Ayer, Mientras, Ahora,
Derecha, Izquierda, Yo, Tú, Aquellos, Otros.

El cabalista que ofició de numen
a la vasta criatura apodó Golem.
(Estas verdades las refiere Scholem
en un docto lugar de su volumen.)

El rabí le explicaba el universo
(Esto es mi pie; esto el tuyo; esto la soga)
y logró, al cabo de años, que el perverso
barriera bien o mal la sinagoga.

Tal vez hubo un error en la grafía
o en la articulación del Sacro Nombre;
a pesar de tan alta hechicería,
no aprendió a hablar el aprendiz de hombre.

Sus ojos, menos de hombre que de perro
y harto menos de perro que de cosa,
seguían al rabí por la dudosa
penumbra de las piezas del encierro.

Algo anormal y tosco hubo en el Golem,
ya que a su paso el gato del rabino
se escondía. (Ese gato no está en Scholem
pero, a través del tiempo, lo adivino.)

Elevando a su Dios manos filiales,
las devociones de su Dios copiaba
o, estúpido y sonriente, se ahuecaba
en cóncavas zalemas orientales.

El rabí lo miraba con ternura
y con algún horror. *¿Cómo* (se dijo)
pude engendrar este penoso hijo
y la inacción dejé, que es la cordura?

¿Por qué di en agregar a la infinita
serie un símbolo más? ¿Por qué a la vana
madeja que en lo eterno se devana,
di otra causa, otro efecto y otra cuita?

En la hora de angustia y de luz vaga,
en su Golem los ojos detenía.
¿Quién nos dirá las cosas que sentía
Dios, al mirar a su rabino en Praga?

1958

SPINOZA

Las traslúcidas manos del judío
labran en la penumbra los cristales
y la tarde que muere es miedo y frío.
(Las tardes a las tardes son iguales.)
Las manos y el espacio de jacinto
que palidece en el confín del Ghetto
casi no existen para el hombre quieto
que está soñando un claro laberinto.
No lo turba la fama, ese reflejo
de sueños en el sueño de otro espejo,
ni el temeroso amor de las doncellas.
Libre de la metáfora y del mito
labra un arduo cristal: el infinito
mapa de Aquel que es todas Sus estrellas.

LÍMITES

De estas calles que ahondan el poniente,
una habrá (no sé cuál) que he recorrido
ya por última vez, indiferente
y sin adivinarlo, sometido

a Quien prefija omnipotentes normas
y una secreta y rígida medida
a las sombras, los sueños y las formas
que destejen y tejen esta vida.

Si para todo hay término y hay tasa
y última vez y nunca más y olvido
¿quién nos dirá de quién, en esta casa,
sin saberlo, nos hemos despedido?

Tras el cristal ya gris la noche cesa
y del alto de libros que una trunca
sombra dilata por la vaga mesa,
alguno habrá que no leeremos nunca.

Hay en el Sur más de un portón gastado
con sus jarrones de mampostería
y tunas, que a mi paso está vedado
como si fuera una litografía.

Para siempre cerraste alguna puerta
y hay un espejo que te aguarda en vano;
la encrucijada te parece abierta
y la vigila, cuadrifronte, Jano.

Hay, entre todas tus memorias, una
que se ha perdido irreparablemente;
no te verán bajar a aquella fuente
ni el blanco sol ni la amarilla luna.

No volverá tu voz a lo que el persa
dijo en su lengua de aves y de rosas,
cuando al ocaso, ante la luz dispersa,
quieras decir inolvidables cosas.

¿Y el incesante Ródano y el lago,
todo ese ayer sobre el cual hoy me inclino?
Tan perdido estará como Cartago
que con fuego y con sal borró el latino.

Creo en el alba oír un atareado
rumor de multitudes que se alejan;
son los que me han querido y olvidado;
espacio y tiempo y Borges ya me dejan.

OTRO POEMA DE LOS DONES

Gracias quiero dar al divino
laberinto de los afectos y de las causas
por la diversidad de las criaturas
que forman este singular universo,
por la razón, que no cesará de soñar
con un plano del laberinto,
por el rostro de Elena y la perseverancia de Ulises,
por el amor, que nos deja ver a los otros
como los ve la divinidad,
por el firme diamante y el agua suelta,
por el álgebra, palacio de precisos cristales,
por las místicas monedas de Ángel Silesio,
por Schopenhauer,
que acaso descifró el universo,
por el fulgor del fuego
que ningún ser humano puede mirar sin un asombro
    antiguo,
por la caoba, el cedro y el sándalo,
por el pan y la sal,
por el misterio de la rosa
que prodiga color y que no lo ve,
por ciertas vísperas y días de 1955,
por los duros troperos que en la llanura
arrean los animales y el alba,
por la mañana en Montevideo,
por el arte de la amistad,
por el último día de Sócrates,
por las palabras que en un crepúsculo se dijeron
de una cruz a otra cruz,
por aquel sueño del Islam que abarcó
mil noches y una noche,
por aquel otro sueño del infierno,
de la torre del fuego que purifica

y de las esferas gloriosas,
por Swedenborg,
que conversaba con los ángeles en las calles de Londres,
por los ríos secretos e inmemoriales
que convergen en mí,
por el idioma que, hace siglos, hablé en Nortumbria,
por la espada y el arpa de los sajones,
por el mar, que es un desierto resplandeciente
y una cifra de cosas que no sabemos
y un epitafio de los vikings,
por la música verbal de Inglaterra,
por la música verbal de Alemania,
por el oro, que relumbra en los versos,
por el épico invierno,
por el nombre de un libro que no he leído: *Gesta Dei*
  per Francos,
por Verlaine, inocente como los pájaros,
por el prisma de cristal y la pesa de bronce,
por las rayas del tigre,
por las altas torres de San Francisco y de la isla de
  Manhattan,
por la mañana en Texas,
por aquel sevillano que redactó la Epístola Moral
y cuyo nombre, como él hubiera preferido, ignoramos,
por Séneca y Lucano, de Córdoba,
que antes del español escribieron
toda la literatura española,
por el geométrico y bizarro ajedrez,
por la tortuga de Zenón y el mapa de Royce,
por el olor medicinal de los eucaliptos,
por el lenguaje, que puede simular la sabiduría,
por el olvido, que anula o modifica el pasado,
por la costumbre,
que nos repite y nos confirma como un espejo,
por la mañana, que nos depara la ilusión de un
  principio,
por la noche, su tiniebla y su astronomía,
por el valor y la felicidad de los otros,
por la patria, sentida en los jazmines

o en una vieja espada,
por Whitman y Francisco de Asís, que ya escribieron
    el poema,
por el hecho de que el poema es inagotable
y se confunde con la suma de las criaturas
y no llegará jamás al último verso
y varía según los hombres,
por Francis Haslam, que pidió perdón a sus hijos
por morir tan despacio,
por los minutos que preceden al sueño,
por el sueño y la muerte,
esos dos tesoros ocultos,
por los íntimos dones que no enumero,
por la música, misteriosa forma del tiempo.

EL INSTANTE

¿Dónde estarán los siglos, dónde el sueño
de espadas que los tártaros soñaron,
dónde los fuertes muros que allanaron,
dónde el Árbol de Adán y el otro Leño?
El presente está solo. La memoria
erige el tiempo. Sucesión y engaño
es la rutina del reloj. El año
no es menos vano que la vana historia.
Entre el alba y la noche hay un abismo
de agonías, de luces, de cuidados;
el rostro que se mira en los gastados
espejos de la noche no es el mismo.
El hoy fugaz es tenue y es eterno;
otro Cielo no esperes, ni otro Infierno.

Cuadrúpedo en la aurora, alto en el día
y con tres pies errando por el vano
ámbito de la tarde, así veía
la eterna esfinge a su inconstante hermano,
el hombre, y con la tarde un hombre vino
que descifró aterrado en el espejo
de la monstruosa imagen, el reflejo
de su declinación y su destino.
Somos Edipo y de un eterno modo
la larga y triple bestia somos, todo
lo que seremos y lo que hemos sido.
Nos aniquilaría ver la ingente
forma de nuestro ser; piadosamente
Dios nos depara sucesión y olvido.

ADROGUÉ

Nadie en la noche indescifrable tema
que yo me pierda entre las negras flores
del parque, donde tejen su sistema
propicio a los nostálgicos amores

o al ocio de las tardes, la secreta
ave que siempre un mismo canto afina,
el agua circular y la glorieta,
la vaga estatua y la dudosa ruina.

Hueca en la hueca sombra, la cochera
marca (lo sé) los trémulos confines
de este mundo de polvo y de jazmines,
grato a Verlaine y grato a Julio Herrera.

Su olor medicinal dan a la sombra
los eucaliptos: ese olor antiguo
que, más allá del tiempo y del ambiguo
lenguaje, el tiempo de las quintas nombra.

Mi paso busca y halla el esperado
umbral. Su oscuro borde la azotea
define y en el patio ajedrezado
la canilla periódica gotea.

Duermen del otro lado de las puertas
aquellos que por obra de los sueños
son en la sombra visionaria dueños
del vasto ayer y de las cosas muertas.

Cada objeto conozco de este viejo
edificio: las láminas de mica
sobre esa piedra gris que se duplica
continuamente en el borroso espejo

y la cabeza de león que muerde
una argolla y los vidrios de colores
que revelan al niño los primores
de un mundo rojo y de otro mundo verde.

Más allá del azar y de la muerte
duran, y cada cual tiene su historia,
pero todo esto ocurre en esa suerte
de cuarta dimensión, que es la memoria.

En ella y sólo en ella están ahora
los patios y jardines. El pasado
los guarda en ese círculo vedado
que a un tiempo abarca el véspero y la aurora.

¿Cómo pude perder aquel preciso
orden de humildes y queridas cosas,
inaccesibles hoy como las rosas
que dio al primer Adán el Paraíso?

El antiguo estupor de la elegía
me abruma cuando pienso en esa casa
y no comprendo cómo el tiempo pasa,
yo, que soy tiempo y sangre y agonía.

EL FORASTERO

Despachadas las cartas y el telegrama,
camina por las calles indefinidas
y advierte leves diferencias que no le importan
y piensa en Aberdeen o en Leyden,
más vívidas para él que este laberinto
de líneas rectas, no de complejidad,
donde lo lleva el tiempo de un hombre
cuya verdadera vida está lejos.
En una habitación numerada
se afeitará después ante un espejo
que no volverá a reflejarlo
y le parecerá que ese rostro
es más inescrutable y más firme
que el alma que lo habita
y que a lo largo de los años lo labra.
Se cruzará contigo en una calle
y acaso notarás que es alto y gris
y que mira las cosas.
Una mujer indiferente
le ofrecerá la tarde y lo que pasa
del otro lado de unas puertas. El hombre
piensa que olvidará su cara y recordará,
años después, cerca del mar del Norte,
la persiana o la lámpara.
Esa noche, sus ojos contemplarán,
en un rectángulo de formas que fueron,
al jinete y su épica llanura,
porque el Far West abarca el planeta
y se espeja en los sueños de los hombres
que nunca lo han pisado.
En la numerosa penumbra, el desconocido
se creerá en su ciudad

y lo sorprenderá salir a otra,
de otro lenguaje y de otro cielo.

Antes de la agonía,
el infierno y la gloria nos están dados;
andan ahora por esta ciudad, Buenos Aires,
que para el forastero de mi sueño
(el forastero que yo he sido bajo otros astros)
es una serie de imprecisas imágenes
hechas para el olvido.

EVERNESS

Sólo una cosa no hay. Es el olvido.
Dios, que salva el metal, salva la escoria
y cifra en Su profética memoria
las lunas que serán y las que han sido.
Ya todo está. Los miles de reflejos
que entre los dos crepúsculos del día
tu rostro fue dejando en los espejos
y los que irá dejando todavía.
Y todo es una parte del diverso
cristal de esa memoria, el universo;
no tienen fin sus arduos corredores
y las puertas se cierran a tu paso;
sólo del otro lado del ocaso
verás los Arquetipos y Esplendores.

EWIGKEIT

Torne en mi boca el verso castellano
a decir lo que siempre está diciendo
desde el latín de Séneca: el horrendo
dictamen de que todo es del gusano.
Torne a cantar la pálida ceniza,
los fastos de la muerte y la victoria
de esa reina retórica que pisa
los estandartes de la vanagloria.
No así. Lo que mi barro ha bendecido
no lo voy a negar como un cobarde.
Sé que una cosa no hay. Es el olvido;
sé que en la eternidad perdura y arde
lo mucho y lo precioso que he perdido:
esa fragua, esa luna y esa tarde.

LAS COSAS

El bastón, las monedas, el llavero,
la dócil cerradura, las tardías
notas que no leerán los pocos días
que me quedan, los naipes y el tablero,
un libro y en sus páginas la ajada
violeta, monumento de una tarde
sin duda inolvidable y ya olvidada,
el rojo espejo occidental en que arde
una ilusoria aurora. ¡Cuántas cosas,
limas, umbrales, atlas, copas, clavos,
nos sirven como tácitos esclavos,
ciegas y extrañamente sigilosas!
Durarán más allá de nuestro olvido;
no sabrán nunca que nos hemos ido.

ADAM CAST FORTH

¿Hubo un Jardín o fue el Jardín un sueño?
Lento en la vaga luz, me he preguntado,
casi como un consuelo, si el pasado
de que este Adán, hoy mísero, era dueño,
no fue sino una mágica impostura
de aquel Dios que soñé. Ya es impreciso
en la memoria el claro Paraíso,
pero yo sé que existe y que perdura,
aunque no para mí. La terca tierra
es mi castigo y la incestuosa guerra
de Caínes y Abeles y su cría.
Y, sin embargo, es mucho haber amado,
haber sido feliz, haber tocado
el viviente Jardín, siquiera un día.

A UNA MONEDA

Fría y tormentosa la noche que zarpé de Montevideo.
Al doblar el Cerro,
tiré desde la cubierta más alta
una moneda que brilló y se anegó en las aguas
    barrosas,
una cosa de luz que arrebataron el tiempo y la
    tiniebla.
Tuve la sensación de haber cometido un acto
    irrevocable,
de agregar a la historia del planeta
dos series incesantes, paralelas, quizá infinitas:
mi destino, hecho de zozobra, de amor y de vanas
    vicisitudes,
y el de aquel disco de metal
que las aguas darían al blando abismo
o a los remotos mares que aún roen
despojos del sajón y del viking.
A cada instante de mi sueño o de mi vigilia
corresponde otro de la ciega moneda.
A veces he sentido remordimiento
y otras, envidia,
de ti que estás, como nosotros, en el tiempo y su
    laberinto
y que no lo sabes.

NEW ENGLAND, 1967

Han cambiado las formas de mi sueño;
ahora son laterales casas rojas
y el delicado bronce de las hojas
y el casto invierno y el piadoso leño.
Como en el día séptimo, la tierra
es buena. En los crepúsculos persiste
algo que casi no es, osado y triste;
un antiguo rumor de Biblia y guerra.
Pronto (nos dicen) llegará la nieve
y América me espera en cada esquina,
pero siento en la tarde que declina
el hoy tan lento y el ayer tan breve.
Buenos Aires, yo sigo caminando
por tus esquinas, sin por qué ni cuándo.

Cambridge, 1967

JAMES JOYCE

En un día del hombre están los días
del tiempo, desde aquel inconcebible
día inicial del tiempo, en que un terrible
Dios prefijó los días y agonías
hasta aquel otro en que el ubicuo río
del tiempo terrenal torne a su fuente,
que es lo Eterno, y se apague en el presente,
el futuro, el ayer, lo que ahora es mío.
Entre el alba y la noche está la historia
universal. Desde la noche veo
a mis pies los caminos del hebreo,
Cartago aniquilada, Infierno y Gloria.
Dame, Señor, coraje y alegría
para escalar la cumbre de este día.

Cambridge, 1968

HERÁCLITO

El segundo crepúsculo.
La noche que se ahonda en el sueño.
La purificación y el olvido.
El primer crepúsculo.
La mañana que ha sido el alba.
El día que fue la mañana.
El día numeroso que será la tarde gastada.
El segundo crepúsculo.
Ese otro hábito del tiempo, la noche.
La purificación y el olvido.
El primer crepúsculo...
El alba sigilosa y en el alba
la zozobra del griego.
¿Qué trama es esta
del será, del es y del fue?
¿Qué río es este
por el cual corre el Ganges?
¿Qué río es este cuya fuente es inconcebible?
¿Qué río es este
que arrastra mitologías y espadas?
Es inútil que duerma.
Corre en el sueño, en el desierto, en un sótano.
El río me arrebata y soy ese río.
De una materia deleznable fui hecho, de misterioso
   tiempo.
Acaso el manantial está en mí.
Acaso de mi sombra
surgen, fatales e ilusorios, los días.

MILONGA DE DOS HERMANOS

Traiga cuentos la guitarra
de cuando el fierro brillaba,
cuentos de truco y de taba,
de cuadreras y de copas,
cuentos de la Costa Brava
y el Camino de las Tropas.

Venga una historia de ayer
que apreciarán los más lerdos;
el destino no hace acuerdos
y nadie se lo reproche —
ya estoy viendo que esta noche
vienen del Sur los recuerdos.

Velay, señores, la historia
de los hermanos Iberra,
hombres de amor y de guerra
y en el peligro primeros,
la flor de los cuchilleros
y ahora los tapa la tierra.

Suelen al hombre perder
la soberbia o la codicia;
también el coraje envicia
a quien le da noche y día;
el que era menor debía
más muertes a la justicia.

Cuando Juan Iberra vio
que el menor lo aventajaba,
la paciencia se le acaba
y le fue tendiendo un lazo.

Le dio muerte de un balazo,
allá por la Costa Brava.

Así de manera fiel
conté la historia hasta el fin;
es la historia de Caín
que sigue matando a Abel.

MILONGA DE JACINTO CHICLANA

Me acuerdo. Fue en Balvanera,
en una noche lejana
que alguien dejó caer el nombre
de un tal Jacinto Chiclana.

Algo se dijo también
de una esquina y de un cuchillo;
los años nos dejan ver
el entrevero y el brillo.

Quién sabe por qué razón
me anda buscando ese nombre;
me gustaría saber
cómo habrá sido aquel hombre.

Alto lo veo y cabal,
con el alma comedida,
capaz de no alzar la voz
y de jugarse la vida.

Nadie con paso más firme
habrá pisado la tierra;
nadie habrá habido como él
en el amor y en la guerra.

Sobre la huerta y el patio
las torres de Balvanera
y aquella muerte casual
en una esquina cualquiera.

No veo los rasgos. Veo,
bajo el farol amarillo,
el choque de hombres o sombras
y esa víbora, el cuchillo.

Acaso en aquel momento
en que le entraba la herida,
pensó que a un varón le cuadra
no demorar la partida.

Sólo Dios puede saber
la laya fiel de aquel hombre;
señores, yo estoy cantando
lo que se cifra en el nombre.

Entre las cosas hay una
de la que no se arrepiente
nadie en la tierra. Esa cosa
es haber sido valiente.

Siempre el coraje es mejor,
la esperanza nunca es vana;
vaya pues esta milonga
para Jacinto Chiclana.

LOS COMPADRITOS MUERTOS

Siguen apuntalando la recova
del Paseo de Julio, sombras vanas
en eterno altercado con hermanas
sombras o con el hambre, esa otra loba.
Cuando el último sol es amarillo
en la frontera de los arrabales,
vuelven a su crepúsculo, fatales
y muertos, a su puta y su cuchillo.
Perduran en apócrifas historias,
en un modo de andar, en el rasguido
de una cuerda, en un rostro, en un silbido,
en pobres cosas y en oscuras glorias.
En el íntimo patio de la parra
cuando un tango embravece la guitarra.

II
PROSAS

EL TESTIGO

En un establo que está casi a la sombra de la nueva iglesia de piedra, un hombre de ojos grises y barba gris, tendido entre el olor de los animales, humildemente busca la muerte como quien busca el sueño. El día, fiel a vastas leyes secretas, va desplazando y confundiendo las sombras en el pobre recinto; afuera están las tierras aradas y un zanjón cegado por hojas muertas y algún rastro de lobo en el barro negro donde empiezan los bosques. El hombre duerme y sueña, olvidado. El toque de oración lo despierta. En los reinos de Inglaterra el son de campanas ya es uno de los hábitos de la tarde, pero el hombre, de niño, ha visto la cara de Woden, el horror divino y la exultación, el torpe ídolo de madera recargado de monedas romanas y de vestiduras pesadas, el sacrificio de caballos, perros y prisioneros. Antes del alba morirá y con él morirán, y no volverán, las últimas imágenes inmediatas de los ritos paganos; el mundo será un poco más pobre cuando este sajón haya muerto.

Hechos que pueblan el espacio y que tocan a su fin cuando alguien se muere pueden maravillarnos, pero una cosa, o un número infinito de cosas, muere en cada agonía, salvo que exista una memoria del universo, como han conjeturado los teósofos. En el tiempo hubo un día que apagó los últimos ojos que vieron a Cristo; la batalla de Junín y el amor de Helena murieron con la muerte de un hombre. ¿Qué morirá conmigo cuando yo muera, qué forma patética o deleznable perderá el mundo? ¿La voz de Macedonio Fernández, la imagen de un caballo colorado en el baldío de Serrano y de Charcas, una barra de azufre en el cajón de un escritorio de caoba?

UNA ROSA AMARILLA

Ni aquella tarde ni la otra murió el ilustre Giambattista Marino, que las bocas unánimes de la Fama (para usar una imagen que le fue cara) proclamaron el nuevo Homero y el nuevo Dante, pero el hecho inmóvil y silencioso que entonces ocurrió fue en verdad el último de su vida. Colmado de años y de gloria, el hombre se moría en un vasto lecho español de columnas labradas. Nada cuesta imaginar a unos pasos un sereno balcón que mira al poniente y, más abajo, mármoles y laureles y un jardín que duplica sus graderías en un agua rectangular. Una mujer ha puesto en una copa una rosa amarilla; el hombre murmura los versos inevitables que a él mismo, para hablar con sinceridad, ya lo hastían un poco:

> *Púrpura del jardín, pompa del prado,*
> *gema de primavera, ojo de abril...*

Entonces ocurrió la revelación. Marino *vio* la rosa, como Adán pudo verla en el Paraíso, y sintió que ella estaba en su eternidad y no en sus palabras y que podemos mencionar o aludir pero no expresar y que los altos y soberbios volúmenes que formaban en un ángulo de la sala una penumbra de oro no eran (como su vanidad soñó) un espejo del mundo, sino una cosa más agregada al mundo.

Esta iluminación alcanzó Marino en la víspera de su muerte, y Homero y Dante acaso la alcanzaron también.

EL PUÑAL

A Margarita Bunge

En un cajón hay un puñal.

Fue forjado en Toledo, a fines del siglo pasado; Luis Melián Lafinur se lo dio a mi padre, que lo trajo del Uruguay; Evaristo Carriego lo tuvo alguna vez en la mano.

Quienes lo ven tienen que jugar un rato con él; se advierte que hace mucho que lo buscaban; la mano se apresura a apretar la empuñadura que la espera; la hoja obediente y poderosa juega con precisión en la vaina.

Otra cosa quiere el puñal.

Es más que una estructura hecha de metales; los hombres lo pensaron y lo formaron para un fin muy preciso; es, de algún modo eterno, el puñal que anoche mató a un hombre en Tacuarembó y los puñales que mataron a César. Quiere matar, quiere derramar brusca sangre.

En un cajón del escritorio, entre borradores y cartas, interminablemente sueña el puñal su sencillo sueño de tigre, y la mano se anima cuando lo rige porque el metal se anima, el metal que presiente en cada contacto al homicida para quien lo crearon los hombres.

A veces me da lástima. Tanta dureza, tanta fe, tanta impasible o inocente soberbia, y los años pasan, inútiles.

-

59

EPISODIO DEL ENEMIGO

Tantos años huyendo y esperando y ahora el enemigo estaba en mi casa. Desde la ventana lo vi subir penosamente por el áspero camino del cerro. Se ayudaba con un bastón, con un torpe bastón que en viejas manos no podía ser un arma sino un báculo. Me costó percibir lo que esperaba: el débil golpe contra la puerta. Miré, no sin nostalgia, mis manuscritos, el borrador a medio concluir y el tratado de Artemidoro sobre los sueños, libro un tanto anómalo ahí, ya que no sé griego. Otro día perdido, pensé. Tuve que forcejear con la llave. Temí que el hombre se desplomara, pero dio unos pasos inciertos, soltó el bastón, que no volví a ver, y cayó en mi cama, rendido. Mi ansiedad lo había imaginado muchas veces, pero sólo entonces noté que se parecía, de un modo casi fraternal, al último retrato de Lincoln. Serían las cuatro de la tarde.

Me incliné sobre él para que me oyera.

—Uno cree que los años pasan para uno —le dije— pero pasan también para los demás. Aquí nos encontramos al fin y lo que antes ocurrió no tiene sentido.

Mientras yo hablaba, se había desabrochado el sobretodo. La mano derecha estaba en el bolsillo del saco. Algo me señalaba y yo sentí que era un revólver.

Me dijo entonces con voz firme:

—Para entrar en su casa, he recurrido a la compasión. Lo tengo ahora a mi merced y no soy misericordioso.

Ensayé unas palabras. No soy un hombre fuerte y sólo las palabras podían salvarme. Atiné a decir:

—Es verdad que hace tiempo maltraté a un niño, pero usted ya no es aquel niño ni yo aquel insensato. Además, la venganza no es menos vanidosa y ridícula que el perdón.

—Precisamente porque ya no soy aquel niño —me replicó— tengo que matarlo. No se trata de una venganza sino de un acto de justicia. Sus argumentos, Borges, son meras estratagemas de su terror para que no lo mate. Usted ya no puede hacer nada.

—Puedo hacer una cosa —le contesté.

—¿Cuál? —me preguntó.

—Despertarme.

Y así lo hice.

EL CAUTIVO

En Junín o en Tapalqué refieren la historia. Un chico desapareció después de un malón; se dijo que lo habían robado los indios. Sus padres lo buscaron inútilmente; al cabo de los años, un soldado que venía de tierra adentro les habló de un indio de ojos celestes que bien podía ser su hijo. Dieron al fin con él (la crónica ha perdido las circunstancias y no quiero inventar lo que no sé) y creyeron reconocerlo. El hombre, trabajado por el desierto y por la vida bárbara, ya no sabía oír las palabras de la lengua natal, pero se dej/ conducir, indiferente y dócil, hasta la casa. Ahí se detuvo, tal vez porque los otros se detuvieron. Miró la puerta, como sin entenderla. De pronto bajó la cabeza, gritó, atravesó corriendo el zaguán y los dos largos patios y se metió en la cocina. Sin vacilar, hundió el brazo en la ennegrecida campana y sacó el cuchillito de mango de asta que había escondido ahí, cuando chico. Los ojos le brillaron de alegría y los padres lloraron porque habían encontrado al hijo.

Acaso a este recuerdo siguieron otros, pero el indio no podía vivir entre paredes y un día fue a buscar su desierto. Yo querría saber qué sintió en aquel instante de vértigo en que el pasado y el presente se confundieron; yo querría saber si el hijo perdido renació y murió en aquel éxtasis o si alcanzó a reconocer, siquiera como una criatura o un perro, los padres y la casa.

A LEOPOLDO LUGONES [1]

Los rumores de la plaza quedan atrás y entro en la Biblioteca. De una manera casi física siento la gravitación de los libros, el ámbito sereno de un orden, el tiempo disecado y conservado mágicamente. A izquierda y a derecha, absortos en su lúcido sueño, se perfilan los rostros momentáneos de los lectores, a la luz de las lámparas estudiosas, como en la hipálage de Milton. Recuerdo haber recordado ya esa figura, en este lugar, y después aquel otro epíteto que también define el contorno, *el árido camello* del Lunario, y después aquel hexámetro de la Eneida, que maneja y supera el mismo artificio:

Ibant obscuri sola sub nocte per umbras.

Estas reflexiones me dejan en la puerta de su despacho. Entro; cambiamos unas cuantas convencionales y cordiales palabras y le doy este libro. Si no me engaño, usted no me malquería, Lugones, y le hubiera gustado que le gustara algún trabajo mío. Ello no ocurrió nunca, pero esta vez usted vuelve las páginas y lee con aprobación algún verso, acaso porque en él ha reconocido su propia voz, acaso porque la práctica deficiente le importa menos que la sana teoría.

En este punto se deshace mi sueño, como el agua en el agua. La vasta biblioteca que me rodea está en la calle México, no en la calle Rodríguez Peña, y usted, Lugones, se mató a principios del treinta y ocho. Mi vanidad y mi nostalgia han armado una escena imposible. Así será (me digo) pero mañana yo también ha-

[1] Prólogo de *El hacedor*, Emecé Editores, Buenos Aires, 1960.

bré muerto y se confundirán nuestros tiempos y la cronología se perderá en un orbe de símbolos y de algún modo será justo afirmar que yo le he traído este libro y que usted lo ha aceptado.

Un pintor nos prometió un cuadro.

Ahora, en New England, sé que ha muerto. Sentí, como otras veces, la tristeza y la sorpresa de comprender que somos como un sueño. Pensé en el hombre y en el cuadro perdidos.

(Sólo los dioses pueden prometer, porque son inmortales.)

Pensé en un lugar prefijado que la tela no ocupará.

Pensé después: si estuviera ahí, sería con el tiempo esa cosa más, una cosa, una de las vanidades o hábitos de mi casa; ahora es ilimitada, incesante, capaz de cualquier forma y cualquier color y no atada a ninguno.

Existe de algún modo. Vivirá y crecerá como una música, y estará conmigo hasta el fin. Gracias, Jorge Larco.

(También los hombres pueden prometer, porque en la promesa hay algo inmortal.)

III

RELATOS

EL ACERCAMIENTO A ALMOTÁSIM

Philip Guedalla escribe que la novela *The approach to Al-Mu'tasim* del abogado Mir Bahadur Alí, de Bombay, "es una combinación algo incómoda [*a rather uncomfortable combination*] de esos poemas alegóricos del Islam que raras veces dejan de interesar a su traductor y de aquellas novelas policiales que inevitablemente superan a John H. Watson y perfeccionan el horror de la vida humana en las pensiones más irreprochables de Brighton". Antes, Mr. Cecil Roberts había denunciado en el libro de Bahadur "la doble, inverosímil tutela de Wilkie Collins y del ilustre persa del siglo doce, Ferid Eddin Attar" —tranquila observación que Guedalla repite sin novedad, pero en un dialecto colérico. Esencialmente, ambos escritores concuerdan: los dos indican el mecanismo policial de la obra y su *undercurrent* místico. Esa hibridación puede movernos a imaginar algún parecido con Chesterton; ya comprobaremos que no hay tal cosa.

La *editio princeps* del *Acercamiento a Almotásim* apareció en Bombay, a fines de 1932. El papel era casi papel de diario; la cubierta anunciaba al comprador que se trataba de la primera novela policial escrita por un nativo de Bombay City. En pocos meses, el público agotó cuatro impresiones de mil ejemplares cada una. La *Bombay Quarterly Review*, la *Bombay Gazette*, la *Calcutta Review*, la *Hindustan Review* (de Alahabad) y el *Calcutta Englishman*, dispensaron su ditirambo. Entonces Bahadur publicó una edición ilustrada que tituló *The conversation with the man called Al-Mu'tasim* y que subtituló hermosamente: *A game with shifting mirrors* (Un juego con espejos que se desplazan). Esa edición es la que acaba de reproducir en Londres Victor Gollancz, con prólogo de Dorothy L. Sayers y con omisión —quizá misericordiosa— de las ilustraciones. La tengo a la vista; no he logrado juntarme con la primera, que presiento muy superior. A ello me autoriza un apéndice, que resume la diferencia fundamental entre la versión primitiva de 1932 y la de 1934. Antes de examinarla —y de discutirla— conviene que yo indique rápidamente el curso general de la obra.

Su protagonista visible —no se nos dice nunca su nombre— es estudiante de derecho en Bombay. Blasfematoriamente, descree de la fe islámica de sus padres, pero al declinar la décima noche de la luna de muharram, se halla en el centro de un tumulto civil entre musulmanes e hindúes. Es noche de tambores e invocaciones: entre la muchedumbre adversa, los grandes palios de papel de la procesión musulmana se abren camino. Un ladrillazo hindú vuela de una azotea; alguien hunde un puñal en un vientre; alguien ¿musulmán, hindú? muere y es pisoteado. Tres mil hombres pelean: bastón contra revólver, obscenidad contra imprecación, Dios el Indivisible contra los Dioses. Atónito, el estudiante librepensador entra en el motín. Con las desesperadas manos, mata (o piensa haber matado) a un hindú. Atronadora, ecuestre, semidormida, la policía del Sirkar interviene con rebencazos imparciales. Huye el estudiante, casi bajo las patas de los caballos. Busca los arrabales últimos. Atraviesa dos vías ferroviarias, o dos veces la misma vía. Escala el muro de un desordenado jardín, con una torre circular en el fondo. Una chusma de perros color de luna [*a lean and evil mob of mooncoloured hounds*] emerge de los rosales negros. Acosado, busca amparo en la torre. Sube por una escalera de fierro —faltan algunos tramos— y en la azotea, que tiene un pozo renegrido en el centro, da con un hombre escuálido, que está orinando vigorosamente en cuclillas, a la luz de la luna. El hombre le confía que su profesión es robar los dientes de oro de los cadáveres trajeados de blanco que los parsis dejan en esa torre. Dice otras cosas viles y menciona que hace catorce noches que no se purifica con bosta de búfalo. Habla con evidente rencor de ciertos ladrones de caballos de Guzerat, "comedores de perros y de lagartos, hombres al cabo tan infames como nosotros dos". Está clareando: en el aire hay un vuelo bajo de buitres gordos. El estudiante, aniquilado, se duerme; cuando despierta, ya con el sol bien alto, ha desaparecido el ladrón. Han desaparecido también un par de cigarros de Trichinópoli y unas rupias de plata. Ante las amenazas proyectadas por la noche anterior, el estudiante resuelve perderse en la India. Piensa que se ha mostrado capaz de matar un idólatra, pero no de saber con certidumbre si el musulmán tiene más razón que el idólatra. El nombre de Guzerat no lo deja, y el de una *malka-sansi* (mujer de casta de ladrones) de Palanpur, muy preferida por las imprecaciones y el odio del despojador de cadáveres. Arguye que el rencor de un hombre tan minuciosamente vil importa un elogio. Resuelve —sin mayor esperanza— buscarla. Reza, y emprende con segura lentitud el largo camino. Así acaba el segundo capítulo de la obra.

Imposible trazar las peripecias de los diecinueve restantes. Hay una vertiginosa pululación de *dramatis personae* —para no hablar de una biografía que parece agotar los movimientos del espíritu humano (desde la infamia hasta la especulación matemática) y de una peregrinación que comprende la vasta geografía del Indostán. La historia comenzada en Bombay sigue en las tierras bajas de Palanpur, se demora una tarde y una noche en la puerta de piedra de Bikanir, narra la muerte de un astrólogo ciego en un albañal de Benares, conspira en el palacio multiforme de Katmandú, reza y fornica en el hedor pestilencial de Calcuta, en el Machua Bazar, mira nacer los días en el mar desde una escribanía de Madrás, mira morir las tardes en el mar desde un balcón en el estado de Travancor, vacila y mata en Indapur y cierra su órbita de leguas y de años en el mismo Bombay, a pocos pasos del jardín de los perros color de luna. El argumento es éste: Un hombre, el estudiante incrédulo y fugitivo que conocemos, cae entre gente

71

de la clase más vil y se acomoda a ellos, en una especie de certamen de infamias. De golpe —con el milagroso espanto de Robinsón ante la huella de un pie humano en la arena— percibe alguna mitigación de esa infamia: una ternura, una exaltación, un silencio, en uno de los hombres aborrecibles. "Fue como si hubiera terciado en el diálogo un interlocutor más complejo." Sabe que el hombre vil que está conversando con él es incapaz de ese momentáneo decoro; de ahí postula que éste ha reflejado a un amigo, o amigo de un amigo. Repensando el problema, llega a una convicción misteriosa: *En algún punto de la tierra hay un hombre de quien procede esa claridad; en algún punto de la tierra está el hombre que es igual a esa claridad.* El estudiante resuelve dedicar su vida a encontrarlo.

Ya el argumento general se entrevé: la insaciable busca de un alma a través de los delicados reflejos que ésta ha dejado en otras: en el principio, el tenue rastro de una sonrisa o de una palabra; en el fin, esplendores diversos y crecientes de la razón, de la imaginación y del bien. A medida que los hombres interrogados han conocido más de cerca a Almotásim, su porción divina es mayor, pero se entiende que son meros espejos. El tecnicismo matemático es aplicable: la cargada novela de Bahadur es una progresión ascendente, cuyo término final es el presentido "hombre que se llama Almotásim". El inmediato antecesor de Almotásim es un librero persa de suma cortesía y felicidad; el que precede a ese librero es un santo... Al cabo de los años, el estudiante llega a una galería "en cuyo fondo hay una puerta y una estera barata con muchas cuentas y atrás un resplandor". El estudiante golpea las manos una y dos veces y pregunta por Almotásim. Una voz de hombre —la increíble voz de Almotásim— lo insta a pasar. El estudiante descorre la cortina y avanza. En ese punto la novela concluye.

Si no me engaño, la buena ejecución de tal argumento impone dos obligaciones al escritor: una, la variada invención de rasgos proféticos; otra, la de que el héroe

72

prefigurado por esos rasgos no sea una mera convención o fantasma. Bahadur satisface la primera; no sé hasta dónde la segunda. Dicho sea con otras palabras: el inaudito y no mirado Almotásim debería dejarnos la impresión de un carácter real, no de un desorden de superlativos insípidos. En la versión de 1932, las notas sobrenaturales ralean: " el hombre llamado Almotásim" tiene su algo de símbolo, pero no carece de rasgos idiosincrásicos, personales. Desgraciadamente, esa buena conducta literaria no perduró. En la versión de 1934 —la que tengo a la vista— la novela decae en alegoría: Almotásim es emblema de Dios y los puntuales itinerarios del héroe son de algún modo los progresos del alma en el ascenso místico. Hay pormenores afligentes: un judío negro de Kochín que habla de Almotásim dice que su piel es oscura; un cristiano lo describe sobre una torre con los brazos abiertos; un lama rojo lo recuerda sentado "como esa imagen de manteca de yak que yo modelé y adoré en el monasterio de Tashilhunpo". Esas declaraciones quieren insinuar un Dios unitario que se acomoda a las desigualdades humanas. La idea es poco estimulante, a mi ver. No diré lo mismo de esta otra: la conjetura de que también el Todopoderoso está en busca de Alguien, y ese Alguien de Alguien superior (o simplemente imprescindible e igual) y así hasta el Fin —o mejor, el Sinfín— del Tiempo, o en forma cíclica. Almotásim (el nombre de aquel octavo Abbasida que fue vencedor de ocho batallas, engendró ocho varones y ocho mujeres, dejó ocho mil esclavos y reinó durante un espacio de ocho años, de ocho lunas y de ocho días) quiere decir etimológicamente *El buscador de amparo*. En la versión de 1932, el hecho de que el objeto de la peregrinación fuera un peregrino justifica de oportuna manera la dificultad de encontrarlo; en la de 1934, da lugar a la teología extravagante que declaré. Mir Bahadur Alí, lo hemos visto, es incapaz de soslayar la más burda de las tentaciones del arte: la de ser un genio.

Releo lo anterior y temo no haber destacado bastante

las virtudes del libro. Hay rasgos muy civilizados: por ejemplo, cierta disputa del capítulo diecinueve en la que se presiente que es amigo de Almotásim un contendor que no rebate los sofismas del otro, "para no tener razón de un modo triunfal".

Se entiende que es honroso que un libro actual derive de uno antiguo: ya que a nadie le gusta (como dijo Johnson) deber nada a sus contemporáneos. Los repetidos pero insignificantes contactos del *Ulises* de Joyce con la Odisea homérica siguen escuchando —nunca sabré por qué— la atolondrada admiración de la crítica; los de la novela de Bahadur, con el venerado *Coloquio de los pájaros* de Farid ud-din Attar, conocen el no menos misterioso aplauso de Londres, y aun de Alahabad y Calcuta. Otras derivaciones no faltan. Algún inquisidor ha enumerado ciertas analogías de la primera escena de la novela con el relato de Kipling *On the City Wall;* Bahadur las admite, pero alega que sería muy anormal que dos pinturas de la décima noche de muharram no coincidieran... Eliot, con más justicia, recuerda los setenta cantos de la incompleta alegoría *The Faërie Queene,* en los que no aparece una sola vez la heroína, Gloriana —como lo hace notar una censura de Richard William Church (*Spencer,* 1879). Yo, con toda humildad, señalo un precursor lejano y posible: el cabalista de Jerusalén, Isaac Luria, que en el siglo XVI propaló que el alma de un antepasado o maestro puede entrar en el alma de un desdichado, para confortarlo o instruirlo. *Ibbür* se llama esa variedad de la metempsícosis.[1]

1935

---

[1] En el decurso de esta noticia, me he referido al *Mantiq al-Tayr* (*Coloquio de los pájaros*) del místico persa Farid al-Din Abú Talib Muhámmad ben Ibrahim Attar, a quien mataron los soldados de Tule, hijo de Zingis Jan, cuando Nishapur fue expoliada. Quizá no huelgue resumir el poema. El remoto

rey de los pájaros, el Simurg, deja caer en el centro de la China una pluma espléndida; los pájaros resuelven buscarlo, hartos de su antigua anarquía. Saben que el nombre de su rey quiere decir treinta pájaros; saben que su alcázar está en el Kaf, la montaña circular que rodea la tierra. Acometen la casi infinita aventura; superan siete valles, o mares; el nombre del penúltimo es Vértigo; el último se llama Aniquilación. Muchos peregrinos desertan; otros perecen. Treinta, purificados por los trabajos, pisan la montaña del Simurg. Lo contemplan al fin: perciben que ellos son el Simurg y que el Simurg es cada uno de ellos y todos. (También Plotino —*Enéadas*, v, 8, 4— declara una extensión paradisiaca del principio de identidad: *Todo, en el cielo inteligible, está en todas partes. Cualquier cosa es todas las cosas. El sol es todas las estrellas, y cada estrella es todas las estrellas y el sol.*) El *Mantiq al-Tayr* ha sido vertido al francés por Garcin de Tassy; al inglés por Edward FitzGerald; para esta nota, he consultado el décimo tomo de las 1001 Noches de Burton y la monografía *The Persian mystics: Attar* (1932) de Margaret Smith.

Los contactos de ese poema con la novela de Mir Bahadur Alí no son excesivos. En el vigésimo capítulo, unas palabras atribuidas por un librero persa a Almotásim son, quizá, la magnificación de otras que ha dicho el héroe; esa y otras ambiguas analogías pueden significar la identidad del buscado y del buscador; pueden también significar que éste influye en aquél. Otro capítulo insinúa que Almotásim es el "hindú" que el estudiante cree haber matado.

TLÖN, UQBAR, ORBIS TERTIUS

I

Debo a la conjunción de un espejo y de una enciclopedia el descubrimiento de Uqbar. El espejo inquietaba el fondo de un corredor en una quinta de la calle Gaona, en Ramos Mejía; la enciclopedia falazmente se llama *The Anglo-American Cyclopaedia* (New York, 1917) y es una reimpresión literal, pero también morosa, de la *Encyclopaedia Britannica* de 1902. El hecho se produjo hará unos cinco años. Bioy Casares había cenado conmigo esa noche y nos demoró una vasta polémica sobre la ejecución de una novela en primera persona, cuyo narrador omitiera o desfigurara los hechos e incurriera en diversas contradicciones, que permitieran a unos pocos lectores —a muy pocos lectores— la adivinación de una realidad atroz o banal. Desde el fondo remoto del corredor, el espejo nos acechaba. Descubrimos (en la alta noche ese descubrimiento es inevitable) que los espejos tienen algo monstruoso. Entonces Bioy Casares recordó que uno de los heresiarcas de Uqbar había declarado que los espejos y la cópula son abominables, porque multiplican el número de los hombres. Le pregunté el origen de esa memorable sentencia y me contestó que *The Anglo-American Cyclopaedia* la registraba, en su artículo sobre Uqbar. La quinta (que habíamos alquilado amueblada) poseía un ejemplar de esa obra. En las últimas páginas del volumen XLVI, dimos con un artículo sobre Upsala; en las primeras del XLVII, con uno sobre *Ural-Altaic Languages,* pero ni una palabra sobre Uqbar. Bioy, un poco azorado, interrogó los tomos del índice. Agotó en vano todas las lecciones imaginables: Ukbar, Ucbar, Ooqbar, Ookbar, Oukbahr... Antes de irse, me dijo que era una región del Irak o del Asia Menor. Confieso que asentí con alguna incomodidad. Conjeturé que este país indocumentado y ese heresiarca anónimo eran una ficción improvisada por la modestia de Bioy para justificar una frase. El examen estéril de uno de los atlas de Justus Perthes fortaleció mi duda.

Al día siguiente, Bioy me llamó desde Buenos Aires. Me dijo que tenía a la vista el artículo sobre Uqbar, en el volumen XLVI de la Enciclopedia. No constaba el nombre del heresiarca, pero sí la noticia de su doctrina, formulada en palabras casi idénticas a las repetidas por él, aunque —tal vez— literariamente inferiores. Él había recordado: *Copulation and mirrors are abominable*. El texto de la Enciclopedia decía: *Para uno de esos gnósticos, el visible universo era una ilusión o (más precisamente) un sofisma. Los espejos y la paternidad son abominables* [mirrors and fatherhood are abominable] *porque lo multiplican y lo divulgan*. Le dije, sin faltar a la verdad, que me gustaría ver ese artículo. A los pocos días lo trajo. Lo cual me sorprendió, porque los escrupulosos índices cartográficos de la *Erdkunde* de Ritter ignoraban con plenitud el nombre de Uqbar.

El volumen que trajo Bioy era efectivamente el XLVI de la *Anglo-American Cyclopaedia*. En la falsa carátula y en el lomo, la indicación alfabética (Tor-Ups) era la de nuestro ejemplar, pero en vez de 917 páginas constaba de 921. Esas cuatro páginas adicionales comprendían el artículo sobre Uqbar; no previsto (como habrá advertido el lector) por la indicación alfabética. Comprobamos después que no hay otra diferencia entre los volúmenes. Los dos (según creo haber indicado) son reimpresiones de la décima *Encyclopaedia Britannica*. Bioy había adquirido su ejemplar en uno de tantos remates.

Leímos con algún cuidado el artículo. El pasaje recordado por Bioy era tal vez el único sorprendente. El resto parecía muy verosímil, muy ajustado al tono general de la obra y (como es natural) un poco aburrido. Releyéndolo, descubrimos bajo su rigurosa escritura una

77

fundamental vaguedad. De los catorce nombres que figuraban en la parte geográfica, sólo reconocimos tres —Jorasán, Armenia, Erzerum—, interpolados en el texto de un modo ambiguo. De los nombres históricos, uno solo: el impostor Esmerdis el mago, invocado más bien como una metáfora. La nota parecía precisar las fronteras de Uqbar, pero sus nebulosos puntos de referencia eran ríos y cráteres y cadenas de esa misma región. Leímos, verbigracia, que las tierras bajas de Tsai Jaldún y el delta del Axa definen la frontera del sur y que en las islas de ese delta procrean los caballos salvajes. Eso, al principio de la página 918. En la sección histórica (página 920) supimos que, a raíz de las persecuciones religiosas del siglo trece, los ortodoxos buscaron amparo en las islas, donde perduran todavía sus obeliscos y donde no es raro exhumar sus espejos de piedra. La sección *idioma y literatura* era breve. Un solo rasgo memorable: anotaba que la literatura de Uqbar era de carácter fantástico y que sus epopeyas y sus leyendas no se referían jamás a la realidad, sino a las dos regiones imaginarias de Mlejnas y de Tlön... La bibliografía enumeraba cuatro volúmenes que no hemos encontrado hasta ahora, aunque el tercero —Silas Haslam: *History of the land called Uqbar,* 1874— figura en los catálogos de librería de Bernard Quaritch.[1] El primero, *Lesbare und lesenswerthe Bemerkungen über das Land Ukkbar in Klein-Asien,* data de 1641 y es obra de Johannes Valentinus Andreä. El hecho es significativo; un par de años después, di con ese nombre en las inesperadas páginas de De Quincey (*Writings,* décimotercero volumen) y supe que era el de un teólogo alemán que a principios del siglo XVII describió la imaginaria comunidad de la Rosa-Cruz —que otros luego fundaron, a imitación de lo prefigurado por él.

Esa noche visitamos la Biblioteca Nacional. En vano fatigamos atlas, catálogos, anuarios de sociedades geo-

---

[1] Haslam ha publicado también *A general history of labyrinths.*

gráficas, memorias de viajeros e historiadores: nadie había estado nunca en Uqbar. El índice general de la enciclopedia de Bioy tampoco registraba ese nombre. Al día siguiente, Carlos Mastronardi (a quien yo había referido el asunto) advirtió en una librería de Corrientes y Talcahuano los negros y dorados lomos de la *Anglo-American Cyclopaedia*... Entró e interrogó el volumen XLVI. Naturalmente, no dio con el menor indicio de Uqbar.

II

Algún recuerdo limitado y menguante de Herbert Ashe, ingeniero de los ferrocarriles del Sur, persiste en el hotel de Adrogué, entre las efusivas madreselvas y en el fondo ilusorio de los espejos. En vida padeció de irrealidad, como tantos ingleses; muerto, no es siquiera el fantasma que ya era entonces. Era alto y desganado y su cansada barba rectangular había sido roja. Entiendo que era viudo, sin hijos. Cada tantos años iba a Inglaterra: a visitar (juzgo por unas fotografías que nos mostró) un reloj de sol y unos robles. Mi padre había estrechado con él (el verbo es excesivo) una de esas amistades inglesas que empiezan por excluir la confidencia y que muy pronto omiten el diálogo. Solían ejercer un intercambio de libros y de periódicos; solían batirse al ajedrez, taciturnamente... Lo recuerdo en el corredor del hotel, con un libro de matemáticas en la mano, mirando a veces los colores irrecuperables del cielo. Una tarde, hablamos del sistema duodecimal de numeración (en el que doce se escribe 10). Ashe dijo que precisamente estaba trasladando no sé qué tablas duodecimales a sexagesimales (en las que sesenta se escribe 10). Agregó que ese trabajo le había sido encargado por un noruego: en Rio Grande do Sul. Ocho años que lo conocíamos y no había mencionado nunca su estadía en esa región... Hablamos de vida pastoril, de *capangas,* de la etimología brasilera de la palabra *gaucho* (que algunos viejos orientales todavía pronuncian *gaú-cho*) y nada más se dijo —Dios me perdone— de funciones duodecimales. En setiembre de 1937 (no estábamos nosotros en el hotel) Herbert Ashe murió de la rotura de un aneurisma. Días antes, había recibido del Brasil un paquete sellado y certificado. Era un libro en octavo mayor. Ashe lo dejó en el bar, donde —meses después— lo encontré. Me puse a hojearlo y sentí un vértigo asombrado y ligero que no describiré, porque ésta no es la historia de mis emociones sino de Uqbar y Tlön y Orbis Tertius. En una noche del Islam que se llama la Noche de las Noches se abren de par en par las secretas puertas del cielo y es más dulce el agua en los cántaros; si esas puertas se abrieran, no sentiría lo que en esa tarde sentí. El libro estaba redactado en inglés y lo integraban 1001 páginas. En el amarillo lomo de cuero leí estas curiosas palabras que la falsa carátula repetía: *A first Encyclopaedia of Tlön. Vol. XI. Hlaer to Jangr*. No había indicación de fecha ni de lugar. En la primera página y en una hoja de papel de seda que cubría una de las láminas en colores había estampado un óvalo azul con otra inscripción: *Orbis Tertius*. Hacía dos años que yo había descubierto en un tomo de cierta enciclopedia pirática una somera descripción de un falso país; ahora me deparaba el azar algo más precioso y más arduo. Ahora tenía en las manos un vasto fragmento metódico de la historia total de un planeta desconocido, con sus arquitecturas y sus barajas, con el pavor de sus mitologías y el rumor de sus lenguas, con sus emperadores y sus mares, con sus minerales y sus pájaros y sus peces, con su álgebra y su fuego, con su controversia teológica y metafísica. Todo ello articulado, coherente, sin visible propósito doctrinal o tono paródico.

En el "onceno tomo" de que hablo hay alusiones a tomos ulteriores y precedentes. Néstor Ibarra, en un artículo ya clásico de la *N. R. F.*, ha negado que existen esos aláteres; Ezequiel Martínez Estrada y Drieu La Rochelle han refutado, quizá victoriosamente, esa duda.

El hecho es que hasta ahora las pesquisas más diligentes han sido estériles. En vano hemos desordenado las bibliotecas de las dos Américas y de Europa. Alfonso Reyes, harto de esas fatigas subalternas de índole policial, propone que entre todos acometamos la obra de reconstruir los muchos y macizos tomos que faltan: *ex ungue leonem*. Calcula, entre veras y burlas, que una generación de *tlönistas* puede bastar. Ese arriesgado cómputo nos retrae al problema fundamental: ¿Quiénes inventaron a Tlön? El plural es inevitable, porque la hipótesis de un solo inventor —de un infinito Leibniz obrando en la tiniebla y en la modestia— ha sido descartada unánimemente. Se conjetura que este *brave new world* es obra de una sociedad secreta de astrónomos, de biólogos, de ingenieros, de metafísicos, de poetas, de químicos, de algebristas, de moralistas, de pintores, de geómetras... dirigidos por un oscuro hombre de genio. Abundan individuos que dominan esas disciplinas diversas, pero no los capaces de invención y menos los capaces de subordinar la invención a un riguroso plan sistemático. Ese plan es tan vasto que la contribución de cada escritor es infinitesimal. Al principio se creyó que Tlön era un mero caos, una irresponsable licencia de la imaginación; ahora se sabe que es un cosmos y las íntimas leyes que lo rigen han sido formuladas, siquiera en modo provisional. Básteme recordar que las contradicciones aparentes del Onceno Tomo son la piedra fundamental de la prueba de que existen los otros: tan lúcido y tan justo es el orden que se ha observado en él. Las revistas populares han divulgado, con perdonable exceso, la zoología y la topografía de Tlön; yo pienso que sus tigres transparentes y sus torres de sangre no merecen, tal vez, la continua atención de *todos* los hombres. Yo me atrevo a pedir unos minutos para su concepto del universo.

Hume notó para siempre que los argumentos de Berkeley no admitían la menor réplica y no causaban la menor convicción. Ese dictamen es del todo verídico en su aplicación a la tierra; del todo falso en Tlön.

Las naciones de ese planeta son —congénitamente— idealistas. Su lenguaje y las derivaciones de su lenguaje —la religión, las letras, la metafísica— presuponen el idealismo. El mundo para ellos no es un concurso de objetos en el espacio; es una serie heterogénea de actos independientes. Es sucesivo, temporal, no espacial. No hay sustantivos en la conjetural *Ursprache* de Tlön, de la que proceden los idiomas "actuales" y los dialectos: hay verbos impersonales, calificados por sufijos (o prefijos) monosilábicos de valor adverbial. Por ejemplo: no hay palabra que corresponda a la palabra *luna*, pero hay un verbo que sería en español *lunecer* o *lunar*. *Surgió la luna sobre el río* se dice *hlör u fang axaxaxas mlö* o sea en su orden: hacia arriba (*upward*) detrás duradero-fluir luneció. (Xul Solar traduce con brevedad: upa tras perfluyue lunó. *Upward, behind the onstreaming it mooned.*)

Lo anterior se refiere a los idiomas del hemisferio austral. En los del hemisferio boreal (de cuya *Ursprache* hay muy pocos datos en el Onceno Tomo) la célula primordial no es el verbo, sino el adjetivo monosilábico. El sustantivo se forma por acumulación de adjetivos. No se dice *luna*: se dice *aéreo-claro sobre oscuro-redondo* o *anaranjado-tenue-del-cielo* o cualquier otra agregación. En el caso elegido la masa de adjetivos corresponde a un objeto real; el hecho es puramente fortuito. En la literatura de este hemisferio (como en el mundo subsistente de Meinong) abundan los objetos ideales, convocados y disueltos en un momento, según las necesidades poéticas. Los determina, a veces, la mera simultaneidad. Hay objetos compuestos de dos términos, uno de carácter visual y otro auditivo: el color del naciente y el remoto grito de un pájaro. Los hay de muchos: el sol y el agua contra el pecho del nadador, el vago rosa trémulo que se ve con los ojos cerrados, la sensación de quien se deja llevar por un río y también por el sueño. Esos objetos de segundo grado pueden combinarse con otros; el proceso, mediante ciertas abreviaturas, es prácticamente infinito. Hay poemas famosos compuestos de una sola enorme palabra. Esta palabra integra un *objeto poético* creado por el autor. El hecho de que nadie crea en la realidad de los sustantivos hace, paradójicamente, que sea interminable su número. Los idiomas del hemisferio boreal de Tlön poseen todos los nombres de las lenguas indoeuropeas —y otros muchos más.

No es exagerado afirmar que la cultura clásica de Tlön comprende una sola disciplina: la psicología. Las otras están subordinadas a ella. He dicho que los hombres de ese planeta conciben el universo como una serie de procesos mentales, que no se desenvuelven en el espacio sino de modo sucesivo en el tiempo. Spinoza atribuye a su inagotable divinidad los atributos de la extensión y del pensamiento; nadie comprendería en Tlön la yuxtaposición del primero (que sólo es típico de ciertos estados) y del segundo, que es un sinónimo perfecto del cosmos. Dicho sea con otras palabras: no conciben que lo espacial perdure en el tiempo. La percepción de una humareda en el horizonte y después del campo incendiado y después del cigarro a medio apagar que produjo la quemazón es considerada un ejemplo de asociación de ideas.

Este monismo o idealismo total invalida la ciencia. Explicar (o juzgar) un hecho es unirlo a otro; esa vinculación, en Tlön, es un estado posterior del sujeto, que no puede afectar o iluminar el estado anterior. Todo estado mental es irreductible: el mero hecho de nombrarlo —*id est,* de calificarlo— importa un falseo. De ello cabría deducir que no hay ciencias en Tlön —ni siquiera razonamientos. La paradójica verdad es que existen, en casi innumerable número. Con las filosofías acontece lo que acontece con los sustantivos en el hemisferio boreal. El hecho de que toda filosofía sea de antemano un juego dialéctico, una *Philosophie des Als Ob,* ha contribuido a multiplicarlas. Abundan los sistemas increíbles, pero de arquitectura agradable o de tipo sensacional. Los metafísicos de Tlön no buscan la verdad ni siquiera la verosimilitud: buscan el asombro. Juzgan que la metafísica es una rama de la literatura fantástica. Saben que un sistema no es otra cosa que la subordinación de todos los aspectos del universo a uno cualquiera de ellos. Hasta la frase "todos los aspectos" es rechazable, porque supone la imposible adición del instante presente y de los pretéritos. Tampoco es lícito el plural "los pretéritos", porque suponen otra operación imposible... Una de las escuelas de Tlön llega a negar el tiempo: razona que el presente es indefinido, que el futuro no tiene realidad sino como esperanza presente, que el pasado no tiene realidad sino como recuerdo presente.[2] Otra escuela declara que ha trascurrido ya *todo el tiempo* y que nuestra vida es apenas el recuerdo o reflejo crepuscular, y sin duda falseado y mutilado, de un proceso irrecuperable. Otra, que la historia del universo —y en ella nuestras vidas y el más tenue detalle de nuestras vidas— es la escritura que produce un dios subalterno para entenderse con un demonio. Otra, que el universo es comparable a esas criptografías en las que no valen todos los símbolos y que sólo es verdad lo que sucede cada trescientas noches. Otra, que mientras dormimos aquí, estamos despiertos en otro lado y que así cada hombre es dos hombres.

Entre las doctrinas de Tlön, ninguna ha merecido tanto escándalo como el materialismo. Algunos pensadores lo han formulado, con menos claridad que fervor, como quien adelanta una paradoja. Para facilitar el entendimiento de esa tesis inconcebible, un heresiarca del undécimo siglo[3] ideó el sofisma de las nueve monedas de cobre, cuyo renombre escandaloso equivale en Tlön al de las aporías eleáticas. De ese "razonamiento especioso" hay muchas versiones, que varían el número de monedas y el número de hallazgos; he aquí la más común:

---

[2] RUSSELL (*The analysis of mind,* 1921, página 159) supone que el planeta ha sido creado hace pocos minutos, provisto de una humanidad que "recuerda" un pasado ilusorio.

[3] Siglo, de acuerdo con el sistema duodecimal, significa un período de ciento cuarenta y cuatro años.

El martes, X atraviesa un camino desierto y pierde nueve monedas de cobre. El jueves, Y encuentra en el camino cuatro monedas, algo herrumbradas por la lluvia del miércoles. El viernes, Z descubre tres monedas en el camino. El viernes de mañana, X encuentra dos monedas en el corredor de su casa. El heresiarca quería deducir de esa historia la realidad —*id est,* la continuidad— de las nueve monedas recuperadas. *Es absurdo* (afirmaba) *imaginar que cuatro de las monedas no han existido entre el martes y el jueves, tres entre el martes y la tarde del viernes, dos entre el martes y la madrugada del viernes. Es lógico pensar que han existido —siquiera de algún modo secreto, de comprensión vedada a los hombres— en todos los momentos de esos tres plazos.*

El lenguaje de Tlön se resistía a formular esa paradoja; los más no la entendieron. Los defensores del sentido común se limitaron, al principio, a negar la veracidad de la anécdota. Repitieron que era una falacia verbal, basada en el empleo temerario de dos voces neológicas, no autorizadas por el uso y ajenas a todo pensamiento severo: los verbos *encontrar* y *perder,* que comportaban una petición de principio, porque presuponían la identidad de las nueve primeras monedas y de las últimas. Recordaron que todo sustantivo (hombre, moneda, jueves, miércoles, lluvia) sólo tiene un valor metafórico. Denunciaron la pérfida circunstancia *algo herrumbradas por la lluvia del miércoles,* que presupone lo que se trata de demostrar: la persistencia de las cuatro monedas, entre el jueves y el martes. Explicaron que una cosa es *igualdad* y otra *identidad* y formularon una especie de *reductio ad absurdum,* o sea el caso hipotético de nueve hombres que en nueve sucesivas noches padecen un vivo dolor. ¿No sería ridículo —interrogaron— pretender que ese dolor es el mismo? [4]

4 En el día de hoy, una de las iglesias de Tlön sostiene platónicamente que tal dolor, que tal matiz verdoso del amarillo, que tal temperatura, que tal sonido, son la única reali-

Dijeron que al heresiarca no lo movía sino el blasfematorio propósito de atribuir la divina categoría de *ser* a unas simples monedas y que a veces negaba la pluralidad y otras no. Argumentaron: si la igualdad comporta la identidad, habría que admitir asimismo que las nueve monedas son una sola.

Increíblemente, esas refutaciones no resultaron definitivas. A los cien años de enunciado el problema, un pensador no menos brillante que el heresiarca, pero de tradición ortodoxa, formuló una hipótesis muy audaz. Esa conjetura feliz afirma que hay un solo sujeto, que ese sujeto indivisible es cada uno de los seres del universo y que éstos son los órganos y máscaras de la divinidad. X es Y y es Z. Z descubre tres monedas porque recuerda que se le perdieron a X; X encuentra dos en el corredor porque recuerda que han sido recuperadas las otras... El Onceno Tomo deja entender que tres razones capitales determinaron la victoria total de ese panteísmo idealista. La primera, el repudio del solipsismo; la segunda, la posibilidad de conservar la base psicológica de las ciencias; la tercera, la posibilidad de conservar el culto de los dioses. Schopenhauer (el apasionado y lúcido Schopenhauer) formula una doctrina muy parecida en el primer volumen de *Parerga und Paralipomena*.

La geometría de Tlön comprende dos disciplinas algo distintas: la visual y la táctil. La última corresponde a la nuestra y la subordinan a la primera. La base de la geometría visual es la superficie, no el punto. Esta geometría desconoce las paralelas y declara que el hombre que se desplaza modifica las formas que lo circundan. La base de su aritmética es la noción de números indefinidos. Acentúan la importancia de los conceptos de mayor y menor, que nuestros matemáticos simbolizan por $>$ y por $<$. Afirman que la operación de contar

dad. Todos los hombres, en el vertiginoso instante del coito, son el mismo hombre. Todos los hombres que repiten una línea de Shakespeare *son* William Shakespeare.

modifica las cantidades y las convierte de indefinidas en definidas. El hecho de que varios individuos que cuentan una misma cantidad logran un resultado igual es para los psicólogos un ejemplo de asociación de ideas o de buen ejercicio de la memoria. Ya sabemos que en Tlön el sujeto del conocimiento es uno y eterno.

En los hábitos literarios también es todopoderosa la idea de un sujeto único. Es raro que los libros estén firmados. No existe el concepto del plagio: se ha establecido que todas las obras son obra de un solo autor, que es intemporal y es anónimo. La crítica suele inventar autores: elige dos obras disímiles —el Tao Te King y las 1001 Noches, digamos—, las atribuye a un mismo escritor y luego determina con probidad la psicología de ese interesante *homme de lettres*...

También son distintos los libros. Los de ficción abarcan un solo argumento, con todas las permutaciones imaginables. Los de naturaleza filosófica invariablemente contienen la tesis y la antítesis, el riguroso pro y el contra de una doctrina. Un libro que no encierra su contralibro es considerado incompleto.

Siglos y siglos de idealismo no han dejado de influir en la realidad. No es infrecuente, en las regiones más antiguas de Tlön, la duplicación de objetos perdidos. Dos personas buscan un lápiz; la primera lo encuentra y no dice nada; la segunda encuentra un segundo lápiz no menos real, pero más ajustado a su expectativa. Esos objetos secundarios se llaman *hrönir* y son, aunque de forma desairada, un poco más largos. Hasta hace poco los *hrönir* fueron hijos casuales de la distracción y el olvido. Parece mentira que su metódica producción cuente apenas cien años, pero así lo declara el Onceno Tomo. Los primeros intentos fueron estériles. El *modus operandi*, sin embargo, merece recordación. El director de una de las cárceles del Estado comunicó a los presos que en el antiguo lecho de un río había ciertos sepulcros y prometió la libertad a quienes trajeran un hallazgo importante. Durante los meses que precedieron a la excavación les mostraron láminas fotográficas de lo que iban a hallar. Ese primer intento probó que la esperanza y la avidez pueden inhibir; una semana de trabajo con la pala y el pico no logró exhumar otro *hrön* que una rueda herrumbrada, de fecha posterior al experimento. Éste se mantuvo secreto y se repitió después en cuatro colegios. En tres fue casi total el fracaso; en el cuarto (cuyo director murió casualmente durante las primeras excavaciones) los discípulos exhumaron —o produjeron— una máscara de oro, una espada arcaica, dos o tres ánforas de barro y el verdinoso y mutilado torso de un rey con una inscripción en el pecho que no se ha logrado aún descifrar. Así se descubrió la improcedencia de testigos que conocieran la naturaleza experimental de la busca... Las investigaciones en masa producen objetos contradictorios; ahora se prefiere los trabajos individuales y casi improvisados. La metódica elaboración de *hrönir* (dice el Onceno Tomo) ha prestado servicios prodigiosos a los arqueólogos. Ha permitido interrogar y hasta modificar el pasado, que ahora no es menos plástico y menos dócil que el porvenir. Hecho curioso: los *hrönir* de segundo y de tercer grado —los *hrönir* derivados de otro *hrön,* los *hrönir* derivados del *hrön* de un *hrön*— exageran las aberraciones del inicial; los de quinto son casi uniformes; los de noveno se confunden con los de segundo; en los de undécimo hay una pureza de líneas que los originales no tienen. El proceso es periódico: el *hrön* de duodécimo grado ya empieza a decaer. Más extraño y más puro que todo *hrön* es a veces el *ur*: la cosa producida por sugestión, el objeto educido por la esperanza. La gran máscara de oro que he mencionado es un ilustre ejemplo.

Las cosas se duplican en Tlön; propenden asimismo a borrarse y a perder los detalles cuando las olvida la gente. Es clásico el ejemplo de un umbral que perduró mientras lo visitaba un mendigo y que se perdió de vista a su muerte. A veces unos pájaros, un caballo, han salvado las ruinas de un anfiteatro.

Salto Oriental, 1940

Posdata de 1947. Reproduzco el artículo anterior tal como apareció en la *Antología de la literatura fantástica,* 1940, sin otra escisión que algunas metáforas y que una especie de resumen burlón que ahora resulta frívolo. Han ocurrido tantas cosas desde esa fecha... Me limitaré a recordarlas.

En marzo de 1941 se descubrió una carta manuscrita de Gunnar Erfjord en un libro de Hinton que había sido de Herbert Ashe. El sobre tenía el sello postal de Ouro Preto; la carta elucidaba enteramente el misterio de Tlön. Su texto corrobora las hipótesis de Martínez Estrada. A principios del siglo XVII, en una noche de Lucerna o de Londres, empezó la espléndida historia. Una sociedad secreta y benévola (que entre sus afiliados tuvo a Dalgarno y después a George Berkeley) surgió para inventar un país. En el vago programa inicial figuraban los "estudios herméticos", la filantropía y la cábala. De esa primera época data el curioso libro de Andreä. Al cabo de unos años de conciliábulos y de síntesis prematuras comprendieron que una generación no bastaba para articular un país. Resolvieron que cada uno de los maestros que la integraban eligiera un discípulo para la continuación de la obra. Esa disposición hereditaria prevaleció; después de un hiato de dos siglos la perseguida fraternidad resurge en América. Hacia 1824, en Memphis (Tennessee) uno de los afiliados conversa con el ascético millonario Ezra Buckley. Éste lo deja hablar con algún desdén —y se ríe de la modestia del proyecto. Le dice que en América es absurdo inventar un país y le propone la invención de un planeta. A esa gigantesca idea añade otra, hija de su nihilismo: [5] la de guardar en el silencio la empresa enorme. Circulaban entonces los veinte tomos de la *Encyclopaedia Britannica*; Buckley sugiere una enciclopedia metódica del planeta ilusorio. Les dejará sus cordilleras auríferas, sus ríos navegables, sus praderas holladas por el toro y por el bison-

---

[5] Buckley era librepensador, fatalista y defensor de la esclavitud.

te, sus negros, sus prostíbulos y sus dólares, bajo una condición: "La obra no pactará con el impostor Jesucristo." Buckley descree de Dios, pero quiere demostrar al Dios no existente que los hombres mortales son capaces de concebir un mundo. Buckley es envenenado en Baton Rouge en 1828; en 1914 la sociedad remite a sus colaboradores, que son trescientos, el volumen final de la Primera Enciclopedia de Tlön. La edición es secreta: los cuarenta volúmenes que comprende (la obra más vasta que han acometido los hombres) serían la base de otra más minuciosa, redactada no ya en inglés, sino en alguna de las lenguas de Tlön. Esa revisión de un mundo ilusorio se llama provisoriamente *Orbis Tertius* y uno de sus modestos demiurgos fue Herbert Ashe, no sé si como agente de Gunnar Erfjord o como afiliado. Su recepción de un ejemplar del Onceno Tomo parece favorecer lo segundo. Pero ¿y los otros? Hacia 1942 arreciaron los hechos. Recuerdo con singular nitidez uno de los primeros y me parece que algo sentí de su carácter premonitorio. Ocurrió en un departamento de la calle Laprida, frente a un claro y alto balcón que miraba al ocaso. La princesa de Faucigny Lucinge había recibido de Poitiers su vajilla de plata. Del vasto fondo de un cajón rubricado de sellos internacionales iban saliendo finas cosas inmóviles: platería de Utrecht y de París con dura fauna heráldica, un samovar. Entre ellas —con un perceptible y tenue temblor de pájaro dormido— latía misteriosamente una brújula. La princesa no la reconoció. La aguja azul anhelaba el norte magnético; la caja de metal era cóncava; las letras de la esfera correspondían a uno de los alfabetos de Tlön. Tal fue la primera intrusión del mundo fantástico en el mundo real. Un azar que me inquieta hizo que yo también fuera testigo de la segunda. Ocurrió unos meses después, en la pulpería de un brasilero, en la Cuchilla Negra. Amorim y yo regresábamos de Sant'Anna. Una creciente del río Tacuarembó nos obligó a probar (y a sobrellevar) esa rudimentaria hospitalidad. El pulpero nos acomodó unos catres crujientes en una pieza grande, entorpecida de barriles y cueros. Nos acostamos, pero no nos dejó dormir hasta el alba la borrachera de un vecino invisible, que alternaba denuestos inextricables con rachas de milongas —más bien con rachas de una sola milonga. Como es de suponer, atribuimos a la fogosa caña del patrón ese griterío insistente... A la madrugada, el hombre estaba muerto en el corredor. La aspereza de la voz nos había engañado: era un muchacho joven. En el delirio se le habían caído del tirador unas cuantas monedas y un cono de metal reluciente, del diámetro de un dado. En vano un chico trató de recoger ese cono. Un hombre apenas acertó a levantarlo. Yo lo tuve en la palma de la mano algunos minutos: recuerdo que su peso era intolerable y que después de retirado el cono, la opresión perduró. También recuerdo el círculo preciso que me grabó en la carne. Esa evidencia de un objeto muy chico y a la vez pesadísimo dejaba una impresión desagradable de asco y de miedo. Un paisano propuso que lo tiraran al río correntoso: Amorim lo adquirió mediante unos pesos. Nadie sabía nada del muerto, salvo "que venía de la frontera". Esos conos pequeños y muy pesados (hechos de un metal que no es de este mundo) son imagen de la divinidad, en ciertas religiones de Tlön.

Aquí doy término a la parte personal de mi narración. Lo demás está en la memoria (cuando no en la esperanza o en el temor) de todos mis lectores. Básteme recordar o mencionar los hechos subsiguientes, con una mera brevedad de palabras que el cóncavo recuerdo general enriquecerá o ampliará. Hacia 1944 un investigador del diario *The American* (de Nashville, Tennessee) exhumó en una biblioteca de Memphis los cuarenta volúmenes de la Primera Enciclopedia de Tlön. Hasta el día de hoy se discute si ese descubrimiento fue casual o si lo consintieron los directores del todavía nebuloso *Orbis Tertius*. Es verosímil lo segundo. Algunos rasgos increíbles del Onceno Tomo (verbigracia, la multiplicación de los *hrönir*) han sido eliminados o atenuados en el ejemplar de Memphis; es razonable imaginar que esas tachaduras obedecen al plan de exhibir un mundo que no sea demasiado incompatible con el mundo real. La diseminación de objetos de Tlön en diversos países complementaría ese plan... [6] El hecho es que la prensa internacional voceó infinitamente el "hallazgo". Manuales, antologías, resúmenes, versiones literales, reimpresiones autorizadas y reimpresiones piráticas de la Obra Mayor de los Hombres abarrotaron y siguen abarrotando la tierra. Casi inmediatamente, la realidad cedió en más de un punto. Lo cierto es que anhelaba ceder. Hace diez años bastaba cualquier simetría con apariencia de orden —el materialismo dialéctico, el antisemitismo, el nazismo— para embelesar a los hombres. ¿Cómo no someterse a Tlön, a la minuciosa y vasta evidencia de un planeta ordenado? Inútil responder que la realidad también está ordenada. Quizá lo esté, pero de acuerdo a leyes divinas —traduzco: a leyes inhumanas— que no acabamos nunca de percibir. Tlön será un laberinto, pero es un laberinto urdido por hombres, un laberinto destinado a que lo descifren los hombres.

El contacto y el hábito de Tlön han desintegrado este mundo. Encantada por su rigor, la humanidad olvida y torna a olvidar que es un rigor de ajedrecistas, no de ángeles. Ya ha penetrado en las escuelas el (conjetural) "idioma primitivo" de Tlön; ya la enseñanza de su historia armoniosa (y llena de episodios conmovedores) ha obliterado a la que presidió mi niñez; ya en las memorias un pasado ficticio ocupa el sitio de otro, del que nada sabemos con certidumbre —ni siquiera que es falso. Han sido reformadas la numismática, la farmacología y la arqueología. Entiendo que la biología y las matemáticas aguardan también su avatar... Una dispersa dinastía de solitarios ha cambiado la faz del mundo. Su tarea prosigue. Si nuestras previsiones no erran, de aquí cien años alguien descubrirá los cien tomos de la Segunda Enciclopedia de Tlön.

[6] Queda, naturalmente, el problema de la *materia* de algunos objetos.

Entonces desaparecerán del planeta el inglés y el francés y el mero español. El mundo será Tlön. Yo no hago caso, yo sigo revisando en los quietos días del hotel de Adrogué una indecisa traducción quevediana (que no pienso dar a la imprenta) del *Urn Burial* de Browne.

El catorce de enero de 1922, Emma Zunz, al volver
de la fábrica de tejidos Tarbuch y Loewenthal, halló en
el fondo del zaguán una carta, fechada en el Brasil,
por la que supo que su padre había muerto. La enga-
ñaron, a primera vista, el sello y el sobre; luego, la inquietó la letra desconocida. Nueve o diez líneas borro-
neadas querían colmar la hoja; Emma leyó que el señor
Maier había ingerido por error una fuerte dosis de ve-
ronal y había fallecido el tres del corriente en el hospital
de Bagé. Un compañero de pensión de su padre firmaba
la noticia, un tal Fein o Fain, de Río Grande, que no
podía saber que se dirigía a la hija del muerto.

Emma dejó caer el papel. Su primera impresión fue
de malestar en el vientre y en las rodillas; luego de ciega
culpa, de irrealidad, de frío, de temor; luego, quiso ya
estar en el día siguiente. Acto continuo comprendió que
esa voluntad era inútil porque la muerte de su padre
era lo único que había sucedido en el mundo, y segui-
ría sucediendo sin fin. Recogió el papel y se fue a su
cuarto. Furtivamente lo guardó en un cajón, como si
de algún modo ya conociera los hechos ulteriores. Ya
había empezado a vislumbrarlos, tal vez; ya era la que
sería.

En la creciente oscuridad, Emma lloró hasta el fin de
aquel día el suicidio de Manuel Maier, que en los antiguos días felices fue Emanuel Zunz. Recordó veraneos
en una chacra, cerca de Gualeguay, recordó (trató de
recordar) a su madre, recordó la casita de Lanús que
les remataron, recordó los amarillos losanges de una
ventana, recordó el auto de prisión, el oprobio, recordó
los anónimos con el suelto sobre "el desfalco del cajero",
recordó (pero eso jamás lo olvidaba) que su padre, la
última noche, le había jurado que el ladrón era Loe-

wenthal. Loewenthal, Aarón Loewenthal, antes gerente de la fábrica y ahora uno de los dueños. Emma, desde 1916, guardaba el secreto. A nadie se lo había revelado, ni siquiera a su mejor amiga, Elsa Urstein. Quizá rehuía la profana incredulidad; quizá creía que el secreto era un vínculo entre ella y el ausente. Loewenthal no sabía que ella sabía; Emma Zunz derivaba de ese hecho ínfimo un sentimiento de poder.

No durmió aquella noche, y cuando la primera luz definió el rectángulo de la ventana, ya estaba perfecto su plan. Procuró que ese día, que le pareció interminable, fuera como los otros. Había en la fábrica rumores de huelga; Emma se declaró, como siempre, contra toda violencia. A las seis, concluido el trabajo, fue con Elsa a un club de mujeres, que tiene gimnasio y pileta. Se inscribieron; tuvo que repetir y deletrear su nombre y su apellido, tuvo que festejar las bromas vulgares que comentan la revisación. Con Elsa y con la menor de las Kronfuss discutió a qué cinematógrafo irían el domingo a la tarde. Luego, se habló de novios y nadie esperó que Emma hablara. En abril cumpliría diecinueve años, pero los hombres le inspiraban, aún, un temor casi patológico... De vuelta, preparó una sopa de tapioca y unas legumbres, comió temprano, se acostó y se obligó a dormir. Así, laborioso y trivial, pasó el viernes quince, la víspera.

El sábado, la impaciencia la despertó. La impaciencia, no la inquietud, y el singular alivio de estar en aquel día, por fin. Ya no tenía que tramar y que imaginar; dentro de algunas horas alcanzaría la simplicidad de los hechos. Leyó en *La Prensa* que el *Nordstjärnan,* de Malmö, zarparía esa noche del dique 3; llamó por teléfono a Loewenthal, insinuó que deseaba comunicar, sin que lo supieran las otras, algo sobre la huelga y prometió pasar por el escritorio, al oscurecer. Le temblaba la voz; el temblor convenía a una delatora. Ningún otro hecho memorable ocurrió esa mañana. Emma trabajó hasta las doce y fijó con Elsa y con Perla Kronfuss los pormenores del paseo del domingo. Se acostó después de almorzar y recapituló, cerrados los ojos, el plan que había tramado. Pensó que la etapa final sería menos horrible que la primera y que le depararía, sin duda, el sabor de la victoria y de la justicia. De pronto, alarmada, se levantó y corrió al cajón de la cómoda. Lo abrió; debajo del retrato de Milton Sills, donde la había dejado la antenoche, estaba la carta de Fain. Nadie podía haberla visto; la empezó a leer y la rompió.

Referir con alguna realidad los hechos de esa tarde sería difícil y quizá improcedente. Un atributo de lo infernal es la irrealidad, un atributo que parece mitigar sus errores y que los agrava tal vez. ¿Cómo hacer verosímil una acción en la que casi no creyó quien la ejecutaba, cómo recuperar ese breve caos que hoy la memoria de Emma Zunz repudia y confunde? Emma vivía por Almagro, en la calle Liniers; nos consta que esa tarde fue al puerto. Acaso en el infame Paseo de Julio se vio multiplicada en espejos, publicada por luces y desnudada por los ojos hambrientos, pero más razonable es conjeturar que al principio erró, inadvertida, por la indiferente recova... Entró en dos o tres bares, vio la rutina o los manejos de otras mujeres. Dio al fin con hombres del *Nordstjärnan*. De uno, muy joven, temió que le inspirara alguna ternura y optó por otro, quizá más bajo que ella y grosero, para que la pureza del horror no fuera mitigada. El hombre la condujo a una puerta y después a un turbio zaguán y después a una escalera tortuosa y después a un vestíbulo (en el que había una vidriera con losanges idénticos a los de la casa en Lanús) y después a un pasillo y después a una puerta que se cerró. Los hechos graves están fuera del tiempo, ya porque en ellos el pasado inmediato queda como tronchado del porvenir, ya porque no parecen consecutivas las partes que los forman.

¿En aquel tiempo fuera del tiempo, en aquel desorden perplejo de sensaciones inconexas y atroces, pensó Emma Zunz *una sola vez* en el muerto que motivaba el sacrificio? Yo tengo para mí que pensó una vez y que en ese momento peligró su desesperado propósito.

Pensó (no pudo no pensar) que su padre le había hecho a su madre la cosa horrible que a ella ahora le hacían. Lo pensó con débil asombro y se refugió, en seguida, en el vértigo. El hombre, sueco o finlandés, no hablaba español; fue una herramienta para Emma como ésta lo fue para él, pero ella sirvió para el goce y él para la justicia.

Cuando se quedó sola, Emma no abrió en seguida los ojos. En la mesa de luz estaba el dinero que había dejado el hombre: Emma se incorporó y lo rompió como antes había roto la carta. Romper dinero es una impiedad, como tirar el pan; Emma se arrepintió, apenas lo hizo. Un acto de soberbia y en aquel día... El temor se perdió en la tristeza de su cuerpo, en el asco. El asco y la tristeza la encadenaban, pero Emma lentamente se levantó y procedió a vestirse. En el cuarto no quedaban colores vivos; el último crepúsculo se agravaba. Emma pudo salir sin que la advirtieran; en la esquina subió a un Lacroze, que iba al oeste. Eligió, conforme a su plan, el asiento más delantero, para que no le vieran la cara. Quizá le confortó verificar, en el insípido trajín de las calles, que lo acaecido no había contaminado las cosas. Viajó por barrios decrecientes y opacos, viéndolos y olvidándolos en el acto, y se apeó en una de las bocacalles de Warnes. Paradójicamente su fatiga venía a ser una fuerza, pues la obligaba a concentrarse en los pormenores de la aventura y le ocultaba el fondo y el fin.

Aarón Loewenthal era, para todos, un hombre serio; para sus pocos íntimos, un avaro. Vivía en los altos de la fábrica, solo. Establecido en el desmantelado arrabal, temía a los ladrones; en el patio de la fábrica había un gran perro y en el cajón de su escritorio, nadie lo ignoraba, un revólver. Había llorado con decoro, el año anterior, la inesperada muerte de su mujer —¡una Gauss, que le trajo una buena dote!—, pero el dinero era su verdadera pasión. Con íntimo bochorno se sabía menos apto para ganarlo que para conservarlo. Era muy religioso; creía tener con el Señor un pacto secreto, que lo eximía de obrar bien, a trueque de oraciones y devociones. Calvo, corpulento, enlutado, de quevedos ahumados y barba rubia, esperaba de pie, junto a la ventana, el informe confidencial de la obrera Zunz.

La vio empujar la verja (que él había entornado a propósito) y cruzar el patio sombrío. La vio hacer un pequeño rodeo cuando el perro atado ladró. Los labios de Emma se atareaban como los de quien reza en voz baja; cansados, repetían la sentencia que el señor Loewenthal oiría antes de morir.

Las cosas no ocurrieron como había previsto Emma Zunz. Desde la madrugada anterior, ella se había soñado muchas veces, dirigiendo el firme revólver, forzando al miserable a confesar la miserable culpa y exponiendo la intrépida estratagema que permitiría a la Justicia de Dios triunfar de la justicia humana. (No por temor, sino por ser un instrumento de la Justicia, ella no quería ser castigada.) Luego, un solo balazo en mitad del pecho rubricaría la suerte de Loewenthal. Pero las cosas no ocurrieron así.

Ante Aarón Loewenthal, más que la urgencia de vengar a su padre, Emma sintió la de castigar el ultraje padecido por ello. No podía no matarlo, después de esa minuciosa deshonra. Tampoco tenía tiempo que perder en teatralerías. Sentada, tímida, pidió excusas a Loewenthal, invocó (a fuer de delatora) las obligaciones de la lealtad, pronunció algunos nombres, dio a entender otros y se cortó como si la venciera el temor. Logró que Loewenthal saliera a buscar una copa de agua. Cuando éste, incrédulo de tales aspavientos, pero indulgente, volvió del comedor, Emma ya había sacado del cajón el pesado revólver. Apretó el gatillo dos veces. El considerable cuerpo se desplomó como si los estampidos y el humo lo hubieran roto, el vaso de agua se rompió, la cara la miró con asombro y cólera, la boca de la cara la injurió en español y en ídisch. Las malas palabras no cejaban; Emma tuvo que hacer fuego otra vez. En el patio, el perro encadenado rompió a ladrar, y una efusión de brusca sangre manó de los labios obscenos y manchó la barba y la ropa. Emma inició la acusación que tenía preparada ("He vengado a mi padre y no me podrán castigar..."), pero no la acabó, porque el señor Loewenthal ya había muerto. No supo nunca si alcanzó a comprender.

Los ladridos tirantes le recordaron que no podía, aún, descansar. Desordenó el diván, desabrochó el saco del cadáver, le quitó los quevedos salpicados y los dejó sobre el fichero. Luego tomó el teléfono y repitió lo que tantas veces repetiría, con esas y con otras palabras: *Ha ocurrido una cosa que es increíble... El señor Loewenthal me hizo venir con el pretexto de la huelga... Abusó de mí, lo maté...*

La historia era increíble, en efecto, pero se impuso a todos, porque sustancialmente era cierta. Verdadero era el tono de Emma Zunz, verdadero el pudor, verdadero el odio. Verdadero también era el ultraje que había padecido; sólo eran falsas las circunstancias, la hora y uno o dos nombres propios.

EL JARDÍN DE SENDEROS QUE SE BIFURCAN

A Victoria Ocampo

En la página 22 de la *Historia de la Guerra Europea* de Liddell Hart, se lee que una ofensiva de trece divisiones británicas (apoyadas por mil cuatrocientas piezas de artillería) contra la línea Serre-Montauban había sido planeada para el veinticuatro de julio de 1916 y debió postergarse hasta la mañana del día veintinueve. Las lluvias torrenciales (anota el capitán Liddell Hart) provocaron esa demora —nada significativa, por cierto. La siguiente declaración, dictada, releída y firmada por el doctor Yu Tsun, antiguo catedrático de inglés en la *Hochschule* de Tsingtao, arroja una insospechada luz sobre el caso. Faltan las dos páginas iniciales.

"... y colgué el tubo. Inmediatamente después, reconocí la voz que había contestado en alemán. Era la del capitán Richard Madden. Madden, en el departamento de Viktor Runeberg, quería decir el fin de nuestros afanes y —pero eso parecía muy secundario, o *debía parecérmelo*— también de nuestras vidas. Quería decir que Runeberg había sido arrestado, o asesinado.[1] Antes que declinara el sol de ese día, yo correría la misma suerte. Madden era implacable. Mejor dicho, estaba obligado a ser implacable. Irlandés a las órdenes de Inglaterra, hombre acusado de tibieza y tal vez de traición ¿cómo no iba a abrazar y agradecer este milagroso favor: el descubrimiento, la captura, quizá la muerte, de dos agentes del Imperio Alemán? Subí a mi

---

[1] Hipótesis odiosa y estrafalaria. El espía prusiano Hans Rabener alias Viktor Runeberg agredió con una pistola automática al portador de la orden de arresto, capitán Richard Madden. Éste, en defensa propia, le causó heridas que determinaron su muerte. [E.]

cuarto; absurdamente cerré la puerta con llave y me tiré de espaldas en la estrecha cama de hierro. En la ventana estaban los tejados de siempre y el sol nublado de las seis. Me pareció increíble que ese día sin premoniciones ni símbolos fuera el de mi muerte implacable. A pesar de mi padre muerto, a pesar de haber sido un niño en un simétrico jardín de Hai Feng ¿yo, ahora, iba a morir? Después reflexioné que todas las cosas le suceden a uno precisamente, precisamente ahora. Siglos de siglos y sólo en el presente ocurren los hechos; innumerables hombres en el aire, en la tierra y el mar, y todo lo que realmente pasa me pasa a mí... El casi intolerable recuerdo del rostro acaballado de Madden abolió esas divagaciones. En mitad de mi odio y de mi terror (ahora no me importa hablar de terror: ahora que he burlado a Richard Madden, ahora que mi garganta anhela la cuerda) pensé que ese guerrero tumultuoso y sin duda feliz no sospechaba que yo poseía el Secreto. El nombre del preciso lugar del nuevo parque de artillería británico sobre el Ancre. Un pájaro rayó el cielo gris y ciegamente lo traduje en un aeroplano y a ese aeroplano en muchos (en el cielo francés) aniquilando el parque de artillería con bombas verticales. Si mi boca, antes que la deshiciera un balazo, pudiera gritar ese nombre de modo que lo oyeran en Alemania... Mi voz humana era muy pobre. ¿Cómo hacerla llegar al oído del Jefe? Al oído de aquel hombre enfermo y odioso, que no sabía de Runeberg y de mí sino que estábamos en Staffordshire y que en vano esperaba noticias nuestras en su árida oficina de Berlín, examinando infinitamente periódicos... Dije en voz alta: *Debo huir*. Me incorporé sin ruido, en una inútil perfección de silencio, como si Madden ya estuviera acechándome. Algo —tal vez la mera ostentación de probar que mis recursos eran nulos— me hizo revisar mis bolsillos. Encontré lo que sabía que iba a encontrar. El reloj norteamericano, la cadena de níquel y la moneda cuadrangular, el llavero con las comprometedoras llaves inútiles del departamento de Runeberg, la libreta, una carta que resolví destruir inmediatamente (y que no destruí), una corona, dos chelines y unos peniques, el lápiz rojo-azul, el pañuelo, el revólver con una bala. Absurdamente lo empuñé y sopesé para darme valor. Vagamente pensé que un pistoletazo puede oírse muy lejos. En diez minutos mi plan estaba maduro. La guía telefónica me dio el nombre de la única persona capaz de trasmitir la noticia: vivía en un suburbio de Fenton, a menos de media hora de tren.

Soy un hombre cobarde. Ahora lo digo, ahora que he llevado a término un plan que nadie no calificará de arriesgado. Yo sé que fue terrible su ejecución. No lo hice por Alemania, no. Nada me importa un país bárbaro, que me ha obligado a la abyección de ser un espía. Además, yo sé de un hombre de Inglaterra —un hombre modesto— que para mí no es menos que Goethe. Arriba de una hora no hablé con él, pero durante una hora fue Goethe... Lo hice, porque yo sentía que el Jefe tenía en poco a los de mi raza, a los innumerables antepasados que confluyen en mí. Yo quería probarle que un amarillo podía salvar a sus ejércitos. Además, yo debía huir del capitán. Sus manos y su voz podían golpear en cualquier momento a mi puerta. Me vestí sin ruido, me dije adiós en el espejo, bajé, escudriñé la calle tranquila y salí. La estación no distaba mucho de casa, pero juzgué preferible tomar un coche. Argüí que así corría menos peligro de ser reconocido; el hecho es que en la calle desierta me sentía visible y vulnerable, infinitamente. Recuerdo que le dije al cochero que se detuviera un poco antes de la entrada central. Bajé con lentitud voluntaria y casi penosa; iba a la aldea de Ashgrove, pero saqué un pasaje para una estación más lejana. El tren salía dentro de muy pocos minutos, a las ocho y cincuenta. Me apresuré; el próximo saldría a las nueve y media. No había casi nadie en el andén. Recorrí los coches: recuerdo unos labradores, una enlutada, un joven que leía con fervor los *Anales* de Tácito, un soldado herido y feliz. Los coches arrancaron al fin. Un hombre que reconocí corrió en vano hasta el límite del andén. Era el capitán Richard Madden. Aniquilado, trémulo, me encogí en la otra punta del sillón, lejos del temido cristal.

De esa aniquilación pasé a una felicidad casi abyecta. Me dije que ya estaba empeñado mi duelo y que yo había ganado el primer asalto, al burlar, siquiera por cuarenta minutos, siquiera por un favor del azar, el ataque de mi adversario. Argüí que esa victoria mínima prefiguraba la victoria total. Argüí que no era mínima, ya que sin esa diferencia preciosa que el horario de trenes me deparaba, yo estaría en la cárcel, o muerto. Argüí (no menos sofísticamente) que mi felicidad cobarde probaba que yo era hombre capaz de llevar a buen término la aventura. De esa debilidad saqué fuerzas que no me abandonaron. Preveo que el hombre se resignará cada día a empresas más atroces; pronto no habrá sino guerreros y bandoleros; les doy este consejo: *El ejecutor de una empresa atroz debe imaginar que ya la ha cumplido, debe imponerse un porvenir que sea irrevocable como el pasado.* Así procedí yo, mientras mis ojos de hombre ya muerto registraban la fluencia de aquel día que era tal vez el último, y la difusión de la noche. El tren corría con dulzura, entre fresnos. Se detuvo, casi en medio del campo. Nadie gritó el nombre de la estación. *¿Ashgrove?* les pregunté a unos chicos en el andén. *Ashgrove,* contestaron. Bajé.

Una lámapara ilustraba el andén, pero las caras de los niños quedaban en la zona de sombra. Uno me interrogó: *¿Usted va a casa del doctor Stephen Albert?* Sin aguardar contestación, otro dijo: *La casa queda lejos de aquí, pero Ud. no se perderá si toma ese camino a la izquierda y en cada encrucijada del camino dobla a la izquierda.* Les arrojé una moneda (la última), bajé unos escalones de piedra y entré en el solitario camino. Éste, lentamente, bajaba. Era de tierra elemental, arriba se confundían las ramas, la luna baja y circular parecía acompañarme.

Por un instante, pensé que Richard Madden había penetrado de algún modo mi desesperado propósito. Muy pronto comprendí que eso era imposible. El consejo de siempre doblar a la izquierda me recordó que tal era el procedimiento común para descubrir el patio central de ciertos laberintos. Algo entiendo de laberintos: no en vano soy bisnieto de aquel Ts'ui Pên, que fue gobernador de Yunnan y que renunció al poder temporal para escribir una novela que fuera todavía más populosa que el *Hung Lu Meng* y para edificar un laberinto en el que se perdieran todos los hombres. Trece años dedicó a esas heterogéneas fatigas, pero la mano de un forastero lo asesinó y su novela era insensata y nadie encontró el laberinto. Bajo árboles ingleses medité en ese laberinto perdido: lo imaginé inviolado y perfecto en la cumbre secreta de una montaña, lo imaginé borrado por arrozales o debajo del agua, lo imaginé infinito, no ya de quioscos ochavados y de sendas que vuelven, sino de ríos y provincias y reinos... Pensé en un laberinto de laberintos, en un sinuoso laberinto creciente que abarcara el pasado y el porvenir y que implicara de algún modo los astros. Absorto en esas ilusorias imágenes, olvidé mi destino de perseguido. Me sentí, por un tiempo indeterminado, percibidor abstracto del mundo. El vago y vivo campo, la luna, los restos de la tarde, obraron en mí; asimismo el declive que eliminaba cualquier posibilidad de cansancio. La tarde era íntima, infinita. El camino bajaba y se bifurcaba, entre las ya confusas praderas. Una música aguda y como silábica se aproximaba y se alejaba en el vaivén del viento, empañada de hojas y de distancia. Pensé que un hombre puede ser enemigo de otros hombres, de otros momentos de otros hombres, pero no de un país: no de luciérnagas, palabras, jardines, cursos de agua, ponientes. Llegué, así, a un alto portón herrumbrado. Entre las rejas descifré una alameda y una especie de pabellón. Comprendí, de pronto, dos cosas, la primera trivial, la segunda casi increíble: la música venía del pabellón, la música era china. Por eso, yo la había aceptado con plenitud, sin prestarle atención. No recuerdo si había una campana o un timbre o si llamé golpeando las manos. El chisporroteo de la música prosiguió.

Pero del fondo de la íntima casa un farol se acercaba: un farol que rayaban y a ratos anulaban los troncos, un farol de papel, que tenía la forma de los tambores y el color de la luna. Lo traía un hombre alto. No vi su rostro, porque me cegaba la luz. Abrió el portón y dijo lentamente en mi idioma:

—Veo que el piadoso Hsi P'êng se empeña en corregir mi soledad. ¿Usted sin duda querrá ver el jardín?

Reconocí el nombre de uno de nuestros cónsules y repetí desconcertado:

—¿El jardín?

—El jardín de senderos que se bifurcan.

Algo se agitó en mi recuerdo y pronuncié con incomprensible seguridad:

—El jardín de mi antepasado Ts'ui Pên.

—¿Su antepasado? ¿Su ilustre antepasado? Adelante.

El húmedo sendero zigzagueaba como los de mi infancia. Llegamos a una biblioteca de libros orientales y occidentales. Reconocí, encuadernados en seda amarilla, algunos tomos manuscritos de la Enciclopedia Perdida que dirigió el Tercer Emperador de la Dinastía Luminosa y que no se dio nunca a la imprenta. El disco del gramófono giraba junto a un fénix de bronce. Recuerdo también un jarrón de la familia rosa y otro, anterior en muchos siglos, de ese color azul que nuestros artífices copiaron de los alfareros de Persia...

Stephen Albert me observaba, sonriente. Era (ya lo dije) muy alto, de rasgos afilados, de ojos grises y barba gris. Algo de sacerdote había en él y también de marino; después me refirió que había sido misionero en Tientsin "antes de aspirar a sinólogo".

Nos sentamos; yo en un largo y bajo diván; él de espaldas a la ventana y a un alto reloj circular. Computé que antes de una hora no llegaría mi perseguidor, Richard Madden. Mi determinación irrevocable podía esperar.

—Asombroso destino el de Ts'ui Pên —dijo Stephen Albert—. Gobernador de su provincia natal, docto en astronomía, en astrología y en la interpretación infatigable de los libros canónicos, ajedrecista, famoso poeta y calígrafo: todo lo abandonó para componer un libro y un laberinto. Renunció a los placeres de la opresión, de la justicia, del numeroso lecho, de los banquetes y aun de la erudición y se enclaustró durante trece años en el Pabellón de la Límpida Soledad. A su muerte, los herederos no encontraron sino manuscritos caóticos. La familia, como usted acaso no ignora, quiso adjudicarlos al fuego; pero su albacea —un monje taoísta o budista— insistió en la publicación.

—Los de la sangre de Ts'ui Pên —repliqué— seguimos execrando a ese monje. Esa publicación fue insensata. El libro es un acervo indeciso de borradores contradictorios. Lo he examinado alguna vez: en el tercer capítulo muere el héroe, en el cuarto está vivo. En cuanto a la otra empresa de Ts'ui Pên, a su Laberinto...

—Aquí está el Laberinto —dijo indicándome un alto escritorio laqueado.

—¡Un laberinto de marfil! —exclamé—. Un laberinto mínimo...

—Un laberinto de símbolos —corrigió—. Un invisible laberinto de tiempo. A mí, bárbaro inglés, me ha sido deparado revelar ese misterio diáfano. Al cabo de más de cien años, los pormenores son irrecuperables, pero no es difícil conjeturar lo que sucedió. Ts'ui Pên diría una vez: *Me retiro a escribir un libro.* Y otra: *Me retiro a construir un laberinto.* Todos imaginaron dos obras; nadie pensó que libro y laberinto eran un solo objeto. El Pabellón de la Límpida Soledad se erguía en el centro de un jardín tal vez intrincado; el hecho puede haber sugerido a los hombres un laberinto físico. Ts'ui Pên murió; nadie, en las dilatadas tierras que fueron suyas, dio con el laberinto; la confusión de la novela me sugirió que ése era el laberinto. Dos circunstancias me dieron la recta solución del problema. Una: la curiosa leyenda de que Ts'ui Pên se había propuesto un laberinto que fuera estrictamente infinito. Otra: un fragmento de una carta que descubrí.

Albert se levantó. Me dio, por unos instantes, la espalda; abrió un cajón del áureo y renegrido escritorio. Volvió con un papel antes carmesí, ahora rosado y tenue y cuadriculado. Era, justo el renombre caligráfico de Ts'ui Pên. Leí con incomprensión y fervor estas palabras que con minucioso pincel redactó un hombre de mi sangre: *Dejo a los varios porvenires (no a todos) mi jardín de senderos que se bifurcan.* Devolví en silencio la hoja. Albert prosiguió:

—Antes de exhumar esta carta, yo me había preguntado de qué manera un libro puede ser infinito. No conjeturé otro procedimiento que el de un volumen cíclico, circular. Un volumen cuya última página fuera idéntica a la primera, con posibilidad de continuar indefinidamente. Recordé también esa noche que está en el centro de las 1001 Noches, cuando la reina Shahrazad (por una mágica distracción del copista) se pone a referir textualmente la historia de las 1001 Noches, con riesgo de llegar otra vez a la noche en que la refiere, y así hasta lo infinito. Imaginé también una obra platónica, hereditaria, trasmitida de padre a hijo, en la que cada nuevo individuo agregara un capítulo o corrigiera con piadoso cuidado la página de los mayores. Esas conjeturas me distrajeron; pero ninguna parecía corresponder, siquiera de un modo remoto, a los contradictorios capítulos de Ts'ui Pên. En esa perplejidad, me remitieron de Oxford el manuscrito que usted ha examinado. Me detuve, como es natural, en la frase: *Dejo a los varios porvenires (no a todos) mi jardín de senderos que se bifurcan.* Casi en el acto comprendí; *el jardín de senderos que se bifurcan* era la novela caótica; la frase *varios porvenires (no a todos)* me sugirió la imagen de la bifurcación en el tiempo, no en el espacio. La relectura general de la obra confirmó esa teoría. En todas las ficciones, cada vez que un hombre se enfrenta con diversas alternativas, opta por una y elimina las otras; en la del casi inextricable Ts'ui Pên, opta —simultáneamente— por todas. *Crea,* así, diversos porvenires, diversos tiempos, que también proliferan y se bifurcan. De ahí las contradicciones de la novela. Fang, digamos, tiene un secreto; un desconocido llama a su puerta; Fang resuelve matarlo. Naturalmente, hay varios desenlaces posibles: Fang puede matar al intruso, el intruso puede matar a Fang, ambos pueden salvarse, ambos pueden morir, etcétera. En la obra de Ts'ui Pên, todos los desenlaces ocurren; cada uno es el punto de partida de otras bifurcaciones. Alguna vez, los senderos de ese laberinto convergen: por ejemplo, usted llega a esta casa, pero en uno de los pasados posibles usted es mi enemigo, en otro mi amigo. Si se resigna usted a mi pronunciación incurable, leeremos unas páginas.

Su rostro, en el vívido círculo de la lámpara, era sin duda el de un anciano, pero con algo inquebrantable y aun inmortal. Leyó con lenta precisión dos redacciones de un mismo capítulo épico. En la primera, un ejército marcha hacia una batalla a través de una montaña desierta; el horror de las piedras y de la sombra le hace menospreciar la vida y logra con facilidad la victoria; en la segunda, el mismo ejército atraviesa un palacio en el que hay una fiesta; la resplandeciente batalla les parece una continuación de la fiesta y logran la victoria. Yo oía con decente veneración esas viejas ficciones, acaso menos admirables que el hecho de que las hubiera ideado mi sangre y de que un hombre de un imperio remoto me las restituyera, en el curso de una desesperada aventura, en una isla occidental. Recuerdo las palabras finales, repetidas en cada redacción como un mandamiento secreto: *Así combatieron los héroes, tranquilo el admirable corazón, violenta la espada, resignados a matar y a morir.*

Desde ese instante, sentí a mi alrededor y en mi oscuro cuerpo una invisible, intangible pululación. No la pululación de los divergentes, paralelos y finalmente coalescentes ejércitos, sino una agitación más inaccesible, más íntima y que ellos de algún modo prefiguraban. Stephen Albert prosiguió:

—No creo que su ilustre antepasado jugara ociosamente a las variaciones. No juzgo verosímil que sacrificara trece años a la infinita ejecución de un experimento retórico. En su país, la novela es un género subalterno; en aquel tiempo era un género despreciable. Ts'ui Pên fue un novelista genial, pero también fue un hombre de letras que sin duda no se consideró un mero novelista. El testimonio de sus contemporáneos proclama —y harto lo confirma su vida— sus aficiones metafísicas, místicas. La controversia filosófica usurpa buena parte de su novela. Sé que de todos los problemas, ninguno lo inquietó y lo trabajó como el abismal problema del tiempo. Ahora bien, ése es el *único* problema que no figura en las páginas del *Jardín*. Ni siquiera usa la palabra que quiere decir *tiempo*. ¿Cómo se explica usted esa voluntaria omisión?

Propuse varias soluciones; todas, insuficientes. Las discutimos; al fin, Stephen Albert me dijo:

—En una adivinanza cuyo tema es el ajedrez ¿cuál es la única palabra prohibida? Reflexioné un momento y repuse:

—La palabra *ajedrez*.

—Precisamente —dijo Albert—. *El jardín de senderos que se bifurcan* es una enorme adivinanza, o parábola, cuyo tema es el tiempo; esa causa recóndita le prohibe la mención de su nombre. Omitir *siempre* una palabra, recurrir a metáforas ineptas y a perífrasis evidentes, es quizá el modo más enfático de indicarla. Es el modo tortuoso que prefirió, en cada uno de los meandros de su infatigable novela, el oblicuo Ts'ui Pên. He confrontado centenares de manuscritos, he corregido los errores que la negligencia de los copistas ha introducido, he conjeturado el plan de ese caos, he restablecido, he creído restablecer, el orden primordial, he traducido la obra entera: me consta que no emplea una sola vez la palabra *tiempo*. La explicación es obvia: *El jardín de senderos que se bifurcan* es una imagen incompleta, pero no falsa, del universo tal como lo concebía Ts'ui Pên. A diferencia de Newton y de Schopenhauer, su antepasado no creía en un tiempo uniforme, absoluto. Creía en infinitas series de tiempos, en una red creciente y vertiginosa de tiempos divergentes, convergentes y paralelos. Esa trama de tiempos que se aproximan, se bifurcan, se cortan o que secularmente se ignoran, abarca *todas* las posibilidades. No existimos en la mayoría de esos tiempos; en algunos existe usted y no yo; en otros, yo, no usted; en otros, los dos. En éste, que un favorable azar me depara, usted ha llegado a mi casa; en otro, usted, al atravesar el jardín, me ha encontrado muerto; en otro, yo digo estas mismas palabras, pero soy un error, un fantasma.

—En todos —articulé no sin un temblor— yo agradezco y venero su recreación del jardín de Ts'ui Pên.

—No en todos —murmuró con una sonrisa—. El tiempo se bifurca perpetuamente hacia innumerables futuros. En uno de ellos soy su enemigo.

Volví a sentir esa pululación de que hablé. Me pareció que el húmedo jardín que rodeaba la casa estaba saturado hasta lo infinito de invisibles personas. Esas personas eran Albert y yo, secretos, atareados y multiformes en otras dimensiones de tiempo. Alcé los ojos y la tenue pesadilla se disipó. En el amarillo y negro jardín había un solo hombre; pero ese hombre era fuerte como una estatua, pero ese hombre avanzaba por el sendero y era el capitán Richard Madden.

—El porvenir ya existe —respondí—, pero yo soy su amigo. ¿Puedo examinar de nuevo la carta?

Albert se levantó. Alto, abrió el cajón del alto escritorio; me dio por un momento la espalda. Yo había preparado el revólver. Disparé con sumo cuidado: Albert se desplomó sin una queja, inmediatamente. Yo juro que su muerte fue instantánea: una fulminación.

Lo demás es irreal, insignificante. Madden irrumpió, me arrestó. He sido condenado a la horca. Abominablemente he vencido: he comunicado a Berlín el secreto nombre de la ciudad que deben atacar. Ayer la bombardearon; lo leí en los mismos periódicos que propusieron a Inglaterra el enigma de que el sabio sinólogo Stephen Albert muriera asesinado por un desconocido, Yu Tsun. El Jefe ha descifrado ese enigma. Sabe que mi problema era indicar (a través del estrépito de la

guerra) la ciudad que se llama Albert y que no hallé
otro medio que matar a una persona de ese nombre.
No sabe (nadie puede saber) mi innumerable contrición
y cansancio.

TEMA DEL TRAIDOR Y DEL HÉROE

> *So the Platonic Year*
> *Whirls out new right and wrong,*
> *Whirls in the old instead;*
> *All men are dancers and their tread*
> *Goes to the barbarous clangour of a gong.*

W. B. YEATS: *The Tower*, 1928

Bajo el notorio influjo de Chesterton (discurridor y exornador de elegantes misterios) y del consejero áulico Leibniz (que inventó la armonía preestablecida), he imaginado este argumento, que escribiré tal vez y que ya de algún modo me justifica, en las tardes inútiles. Faltan pormenores, rectificaciones, ajustes; hay zonas de la historia que no me fueron reveladas aún; hoy, 3 de enero de 1944, la vislumbro así.

La acción trascurre en un país oprimido y tenaz: Polonia, Irlanda, la república de Venecia, algún estado sudamericano o balcánico... Ha trascurrido, mejor dicho, pues aunque el narrador es contemporáneo, la historia referida por él ocurrió al promediar o al empezar el siglo XIX. Digamos (para comodidad narrativa) Irlanda; digamos 1824. El narrador se llama Ryan; es bisnieto del joven, del heroico, del bello, del asesinado Fergus Kilpatrick, cuyo sepulcro fue misteriosamente violado, cuyo nombre ilustra los versos de Browning y de Hugo, cuya estatua preside un cerro gris entre ciénagas rojas.

Kilpatrick fue un conspirador, un secreto y glorioso capitán de conspiradores; a semejanza de Moisés que, desde la tierra de Moab, divisó y no pudo pisar la tierra prometida, Kilpatrick pereció en la víspera de la rebelión victoriosa que había premeditado y soñado. Se aproxima la fecha del primer centenario de su muerte;

las circunstancias del crimen son enigmáticas; Ryan, dedicado a la redacción de una biografía del héroe, descubre que el enigma rebasa lo puramente policial. Kilpatrick fue asesinado en un teatro; la policía británica no dio jamás con el matador; los historiadores declararon que ese fracaso no empaña su buen crédito, ya que tal vez lo hizo matar la misma policía. Otras facetas del enigma inquietaron a Ryan. Son de carácter cíclico: parecen repetir o combinar hechos de remotas regiones, de remotas edades. Así, nadie ignora que los esbirros que examinaron el cadáver del héroe hallaron una carta cerrada que le advertía el riesgo de concurrir al teatro, esa noche; también Julio César, al encaminarse al lugar donde lo aguardaban los puñales de sus amigos, recibió un memorial que no llegó a leer, en que iba declarada la traición, con los nombres de los traidores. La mujer de César, Calpurnia, vio en sueños abatida una torre que le había decretado el Senado; falsos y anónimos rumores, la víspera de la muerte de Kilpatrick, publicaron en todo el país el incendio de la torre circular de Kilgarvan, hecho que pudo parecer un presagio, pues aquél había nacido en Kilgarvan. Esos paralelismos (y otros) de la historia de César y de la historia de un conspirador irlandés inducen a Ryan a suponer una secreta forma del tiempo, un dibujo de líneas que se repiten. Piensa en la historia decimal que ideó Condorcet; en las morfologías que propusieron Hegel, Spengler y Vico; en los hombres de Hesíodo, que degeneran desde el oro hasta el hierro. Piensa en la trasmigración de las almas, doctrina que da horror a las letras célticas y que el propio César atribuyó a los druidas británicos; piensa que antes de ser Fergus Kilpatrick, Fergus Kilpatrick fue Julio César. De esos laberintos circulares lo salva una curiosa comprobación, una comprobación que luego lo abisma en otros laberintos más inextricables y heterogéneos: ciertas palabras de un mendigo que conversó con Fergus Kilpatrick el día de su muerte fueron prefiguradas por Shakespeare, en la tragedia de *Macbeth*. Que la historia hubiera copiado a la historia ya era suficientemente pasmoso; que la historia copie a la literatura es inconcebible... Ryan indaga que en 1814, James Alexander Nolan, el más antiguo de los compañeros del héroe, había traducido al gaélico los principales dramas de Shakespeare; entre ellos, *Julio César*. También descubre en los archivos un artículo manuscrito de Nolan sobre los *Festspiele* de Suiza: vastas y errantes representaciones teatrales, que requieren miles de actores y que reiteran episodios históricos en las mismas ciudades y montañas donde ocurrieron. Otro documento inédito le revela que, pocos días antes del fin, Kilpatrick, presidiendo el último cónclave, había firmado la sentencia de muerte de un traidor, cuyo nombre ha sido borrado. Esta sentencia no condice con los piadosos hábitos de Kilpatrick. Ryan investiga el asunto (esa investigación es uno de los hiatos del argumento) y logra descifrar el enigma.

Kilpatrick fue ultimado en un teatro, pero de teatro hizo también la entera ciudad, y los actores fueron legión, y el drama coronado por su muerte abarcó muchos días y muchas noches. He aquí lo acontecido:

El 2 de agosto de 1824 se reunieron los conspiradores. El país estaba maduro para la rebelión; algo, sin embargo, fallaba siempre: algún traidor había en el cónclave. Fergus Kilpatrick había encomendado a James Nolan el descubrimiento de ese traidor. Nolan ejecutó su tarea: anunció en pleno cónclave que el traidor era el mismo Kilpatrick. Demostró con pruebas irrefutables la verdad de la acusación; los conjurados condenaron a muerte a su presidente. Éste firmó su propia sentencia, pero imploró que su castigo no perjudicara a la patria.

Entonces Nolan concibió un extraño proyecto: Irlanda idolatraba a Kilpatrick; la más tenue sospecha de su vileza hubiera comprometido la rebelión; Nolan propuso un plan que hizo de la ejecución del traidor el instrumento para la emancipación de la patria. Sugirió que el condenado muriera a manos de un asesino desconocido, en circunstancias deliberadamente dramáticas, que se grabaran en la imaginación popular y que

apresuraran la rebelión. Kilpatrick juró colaborar en
ese proyecto, que le daba ocasión de redimirse y que
rubricaría su muerte.

Nolan, urgido por el tiempo, no supo íntegramente
inventar las circunstancias de la múltiple ejecución;
tuvo que plagiar a otro dramaturgo, al enemigo inglés
William Shakespeare. Repitió escenas de *Macbeth*, de
Julio César. La pública y secreta representación comprendió varios días. El condenado entró en Dublin,
discutió, obró, rezó, reprobó, pronunció palabras paté-
ticas, y cada uno de esos actos que reflejaría la gloria
había sido prefijado por Nolan. Centenares de actores
colaboraron con el protagonista; el rol de algunos fue
complejo; el de otros, momentáneo. Las cosas que dijeron e hicieron perduran en los libros históricos, en la
memoria apasionada de Irlanda. Kilpatrick, arrebatado
por ese minucioso destino que lo redimía y que lo perdía, más de una vez enriqueció con actos y palabras
improvisadas el texto de su juez. Así fue desplegándose
en el tiempo el populoso drama, hasta que el 6 de agosto de 1824, en un palco de funerarias cortinas que prefiguraba el de Lincoln, un balazo anhelado entró en el
pecho del traidor y del héroe, que apenas pudo articular, entre dos efusiones de brusca sangre, algunas palabras previstas.

En la obra de Nolan, los pasajes imitados de Shakespeare son los *menos* dramáticos; Ryan sospecha que el
autor los intercaló para que una persona, en el porvenir, diera con la verdad. Comprende que él también
forma parte de la trama de Nolan... Al cabo de tena-
ces cavilaciones, resuelve silenciar el descubrimiento.
Publica un libro dedicado a la gloria del héroe; también
eso, tal vez, estaba previsto.

EL INMORTAL

Salomon saith, *There is no new thing upon the earth*. So that as Plato had an imagination, *that all knowledge was but remembrance;* so Salomon giveth his sentence, *that all novelty is but oblivion*.

FRANCIS BACON: *Essays*, LVIII.

En Londres, a principios del mes de junio de 1929, el anticuario Joseph Cartaphilus, de Esmirna, ofreció a la princesa de Lucinge los seis volúmenes en cuarto menor (1715-1720) de la Ilíada de Pope. La princesa los adquirió; al recibirlos, cambió unas palabras con él. Era, nos dice, un hombre consumido y terroso, de ojos grises y barba gris, de rasgos singularmente vagos. Se manejaba con fluidez e ignorancia en diversas lenguas; en muy pocos minutos pasó del francés al inglés y del inglés a una conjunción enigmática de español de Salónica y de portugués de Macao. En octubre, la princesa oyó por un pasajero del *Zeus* que Cartaphilus había muerto en el mar, al regresar a Esmirna, y que lo habían enterrado en la isla de Ios. En el último tomo de la Ilíada halló este manuscrito.

El original está redactado en inglés y abunda en latinismos. La versión que ofrecemos es literal.

I

Que yo recuerde, mis trabajos empezaron en un jardín de Tebas Hekatómpylos, cuando Diocleciano era emperador. Yo había militado (sin gloria) en las recientes guerras egipcias, yo era tribuno de una legión que estuvo acuartelada en Berenice, frente al Mar Rojo: la fiebre y la magia consumieron a muchos hombres que codiciaban magnánimos el acero. Los mauritanos fueron vencidos; la tierra que antes ocuparon las ciudades rebeldes fue dedicada eternamente a los dioses plutónicos; Alejandría, debelada, imploró en vano la misericordia del César; antes de un año las legiones reportaron el triunfo, pero yo logré apenas divisar el rostro de Marte. Esa privación me dolió y fue tal vez la causa de que yo me arrojara a descubrir, por temerosos y difusos desiertos, la secreta Ciudad de los Inmortales.

Mis trabajos empezaron, he referido, en un jardín de Tebas. Toda esa noche no dormí, pues algo estaba combatiendo en mi corazón. Me levanté poco antes del alba; mis esclavos dormían, la luna tenía el mismo color de la infinita arena. Un jinete rendido y ensangrentado venía del oriente. A unos pasos de mí, rodó del caballo. Con una tenue voz insaciable me preguntó en latín el nombre del río que bañaba los muros de la ciudad. Le respondí que era el Egipto, que alimentan las lluvias. *Otro es el río que persigo,* replicó tristemente, *el río secreto que purifica de la muerte a los hombres.* Oscura sangre le manaba del pecho. Me dijo que su patria era una montaña que está del otro lado del Ganges y que en esa montaña era fama que si alguien caminara hasta el occidente, donde se acaba el mundo, llegaría al río cuyas aguas dan la inmortalidad. Agregó que en la margen ulterior se eleva la Ciudad de los Inmortales, rica en baluartes y anfiteatros y templos. Antes de la aurora murió, pero yo determiné descubrir la ciudad y su río. Interrogados por el verdugo, algunos prisioneros mauritanos confirmaron la relación del viajero; alguien recordó la llanura elísea, en el término de la tierra, donde la vida de los hombres es perdurable; alguien, las cumbres donde nace el Pactolo, cuyos moradores viven un siglo. En Roma, conversé con filósofos que sintieron que dilatar la vida de los hombres era dilatar su agonía y multiplicar el número de sus muertes. Ignoro si creí alguna vez en la Ciudad de los Inmortales: pienso que entonces me bastó la tarea de buscarla. Flavio, procónsul de Getulia, me entregó doscientos soldados para la empresa. También recluté mercenarios, que se dijeron conocedores de los caminos y que fueron los primeros en desertar.

Los hechos ulteriores han deformado hasta lo inextricable el recuerdo de nuestras primeras jornadas. Partimos de Arsinoe y entramos en el abrasado desierto. Atravesamos el país de los trogloditas, que devoran serpientes y carecen del comercio de la palabra; el de los garamantas, que tienen las mujeres en común y se nutren de leones; el de los augilas, que sólo veneran el Tártaro. Fatigamos otros desiertos, donde es negra la arena, donde el viajero debe usurpar las horas de la noche, pues el fervor del día es intolerable. De lejos divisé la montaña que dio nombre al Océano: en sus laderas crece el euforbio, que anula los venenos; en la cumbre habitan los sátiros, nación de hombres ferales y rústicos, inclinados a la lujuria. Que esas regiones bárbaras, donde la tierra es madre de monstruos, pudieran albergar en su seno una ciudad famosa, a todos nos pareció inconcebible. Proseguimos la marcha, pues hubiera sido una afrenta retroceder. Algunos temerarios durmieron con la cara expuesta a la luna; la fiebre los ardió; en el agua depravada de las cisternas otros bebieron la locura y la muerte. Entonces comenzaron las deserciones; muy poco después, los motines. Para reprimirlos, no vacilé ante el ejercicio de la severidad. Procedí rectamente, pero un centurión me advirtió que los sediciosos (ávidos de vengar la crucifixión de uno de ellos) maquinaban mi muerte. Huí del campamento, con los pocos soldados que me eran fieles. En el desierto los perdí, entre los remolinos de arena y la vasta noche. Una flecha cretense me laceró. Varios días erré sin encontrar agua, o un solo enorme día multiplicado por el sol, por la sed y por el temor de la sed. Dejé el camino al arbitrio de mi caballo. En el alba, la lejanía se erizó de pirámides y de torres. Insoportablemente soñé con un exiguo y nítido laberinto; en el centro había un cántaro; mis manos casi lo tocaban, mis ojos lo

118

veían, pero tan intrincadas y perplejas eran las curvas que yo sabía que iba a morir antes de alcanzarlo.

II

Al desenredarme por fin de esa pesadilla, me vi tirado y maniatado en un oblongo nicho de piedra, no mayor que una sepultura común, superficialmente excavado en el agrio declive de una montaña. Los lados eran húmedos, antes pulidos por el tiempo que por la industria. Sentí en el pecho un doloroso latido, sentí que me abrasaba la sed. Me asomé y grité débilmente. Al pie de la montaña se dilataba sin rumor un arroyo impuro, entorpecido por escombros y arena; en la opuesta margen resplandecía (bajo el último sol o bajo el primero) la evidente Ciudad de los Inmortales. Vi muros, arcos, frontispicios y foros: el fundamento era una meseta de piedra. Un centenar de nichos irregulares, análogos al mío, surcaban la montaña y el valle. En la arena había pozos de poca hondura; de esos mezquinos agujeros (y de los nichos) emergían hombres de piel gris, de barba negligente, desnudos. Creí reconocerlos: pertenecían a la estirpe bestial de los trogloditas, que infestan las riberas del Golfo Arábigo y las grutas etiópicas; no me maravillé de que no hablaran y de que devoraran serpientes.

La urgencia de la sed me hizo temerario. Consideré que estaba a unos treinta pies de la arena; me tiré, cerrando los ojos, atadas a la espalda las manos, montaña abajo. Hundí la cara ensangrentada en el agua oscura. Bebí como se abrevan los animales. Antes de perderme otra vez en el sueño y en los delirios, inexplicablemente repetí unas palabras griegas: *los ricos teucros de Zelea que beben el agua negra del Esepo...*

No sé cuántos días y noches rodaron sobre mí. Doloroso, incapaz de recuperar el abrigo de las cavernas, desnudo en la ignorada arena, dejé que la luna y el sol jugaran con mi aciago destino. Los trogloditas, infantiles en la barbarie, no me ayudaron a sobrevivir o a morir. En vano les rogué que me dieran muerte. Un día, con el filo de un pedernal rompí mis ligaduras. Otro, me levanté y pude mendigar o robar —yo, Marco Flaminio Rufo, tribuno militar de una de las legiones de Roma— mi primera detestada ración de carne de serpiente.

La codicia de ver a los Inmortales, de tocar la sobrehumana Ciudad, casi me vedaba dormir. Como si penetraran mi propósito, no dormían tampoco los trogloditas: al principio inferí que me vigilaban; luego, que se habían contagiado de mi inquietud, como podrían contagiarse los perros. Para alejarme de la bárbara aldea elegí la más pública de las horas, la declinación de la tarde, cuando casi todos los hombres emergen de las grietas y de los pozos y miran el poniente, sin verlo. Oré en voz alta, menos para suplicar el favor divino que para intimidar a la tribu con palabras articuladas. Atravesé el arroyo que los médanos entorpecen y me dirigí a la Ciudad. Confusamente me siguieron dos o tres hombres. Eran (como los otros de ese linaje) de menguada estatura; no inspiraban temor, sino repulsión. Debí rodear algunas hondonadas irregulares que me parecieron canteras; ofuscado por la grandeza de la Ciudad, yo la había creído cercana. Hacia la medianoche pisé, erizada de formas idolátricas en la arena amarilla, la negra sombra de sus muros. Me detuvo una especie de horror sagrado. Tan abominadas del hombre son la novedad y el desierto que me alegré de que uno de los trogloditas me hubiera acompañado hasta el fin. Cerré los ojos y aguardé (sin dormir) que relumbrara el día.

He dicho que la Ciudad estaba fundada sobre una meseta de piedra. Esta meseta comparable a un acantilado no era menos ardua que los muros. En vano fatigué mis pasos: el negro basamento no descubría la menor irregularidad, los muros invariables no parecían consentir una sola puerta. La fuerza del día hizo que yo me refugiara en una caverna; en el fondo había un pozo, en el pozo una escalera que se abismaba hacia la tiniebla inferior. Bajé; por un caos de sórdidas galerías llegué a una vasta cámara circular, apenas visible. Había nueve puertas en aquel sótano; ocho daban a un laberinto que falazmente desembocaba en la misma cámara; la novena (a través de otro laberinto) daba a una segunda cámara circular, igual a la primera. Ignoro el número total de las cámaras; mi desventura y mi ansiedad las multiplicaron. El silencio era hostil y casi perfecto; otro rumor no había en esas profundas redes de piedra que un viento subterráneo, cuya causa no descubrí; sin ruido se perdían entre las grietas hilos de agua herrumbrada. Horriblemente me habitué a ese dudoso mundo; consideré increíble que pudiera existir otra cosa que sótanos provistos de nueve puertas y que sótanos largos que se bifurcan. Ignoro el tiempo que debí caminar bajo tierra; sé que alguna vez confundí, en la misma nostalgia, la atroz aldea de los bárbaros y mi ciudad natal, entre los racimos.

En el fondo de un corredor, un no previsto muro me cerró el paso, una remota luz cayó sobre mí. Alcé los ofuscados ojos: en lo vertiginoso, en lo altísimo, vi un círculo de cielo tan azul que pudo parecerme de púrpura. Unos peldaños de metal escalaban el muro. La fatiga me relajaba, pero subí, sólo deteniéndome a veces para torpemente sollozar de felicidad. Fui divisando capiteles y astrágalos, frontones triangulares y bóvedas, confusas pompas del granito y del mármol. Así me fue deparado ascender de la ciega región de negros laberintos entretejidos a la resplandeciente Ciudad.

Emergí a una suerte de plazoleta; mejor dicho, de patio. Lo rodeaba un solo edificio de forma irregular y altura variable; a ese edificio heterogéneo pertenecían las diversas cúpulas y columnas. Antes que ningún otro rasgo de ese monumento increíble, me suspendió lo antiquísimo de su fábrica. Sentí que era anterior a los hombres, anterior a la tierra. Esa notoria antigüedad (aunque terrible de algún modo para los ojos) me pareció adecuada al trabajo de obreros inmortales. Cautelosamente al principio, con indiferencia después, con desesperación al fin, erré por escaleras y pavimentos del inextricable palacio. (Después averigüé que eran inconstantes la extensión y la altura de los peldaños, hecho que me hizo comprender la singular fatiga que me infundieron.) *Este palacio es fábrica de los dioses,* pensé primeramente. Exploré los inhabitados recintos y corregí: *Los dioses que lo edificaron han muerto.* Noté sus peculiaridades y dije: *Los dioses que lo edificaron estaban locos.* Lo dije, bien lo sé, con una incomparable reprobación que era casi un remordimiento, con más horror intelectual que miedo sensible. A la impresión de enorme antigüedad se agregaron otras: la de lo interminable, la de lo atroz, la de lo complejamente insensato. Yo había cruzado un laberinto, pero la nítida Ciudad de los Inmortales me atemorizó y repugnó. Un laberinto es una casa labrada para confundir a los hombres; su arquitectura, pródiga en simetrías, está subordinada a ese fin. En el palacio que imperfectamente exploré, la arquitectura carecía de fin. Abundaban el corredor sin salida, la alta ventana inalcanzable, la aparatosa puerta que daba a una celda o a un pozo, las increíbles escaleras inversas, con los peldaños y la balaustrada hacia abajo. Otras, adheridas aéreamente al costado de un muro monumental, morían sin llegar a ninguna parte, al cabo de dos o tres giros, en la tiniebla superior de las cúpulas. Ignoro si todos los ejemplos que he enumerado son literales, sé que durante muchos años infestaron mis pesadillas; no puedo ya saber si tal o cual rasgo es una trascripción de la realidad o de las formas que desatinaron mis noches. *Esta Ciudad* (pensé) *es tan horrible que su mera existencia y perduración, aunque en el centro de un desierto secreto, contamina el pasado y el porvenir y de algún modo compromete a los astros. Mientras perdure, nadie en el mundo podrá ser valeroso o feliz.* No quiero describirla; un caos de palabras heterogéneas, un cuerpo de tigre o de toro, en el que pulularan monstruosamente, conjugados y odiándose, dientes, órganos y cabezas, pueden (tal vez) ser imágenes aproximativas.

No recuerdo las etapas de mi regreso, entre los polvorientos y húmedos hipogeos. Únicamente sé que no me abandonaba el temor de que, al salir del último laberinto, me rodeara otra vez la nefanda Ciudad de los Inmortales. Nada más puedo recordar. Ese olvido, ahora insuperable, fue quizá voluntario; quizá las circunstancias de mi evasión fueron tan ingratas que, en algún día no menos olvidado también, he jurado olvidarlas.

III

Quienes hayan leído con atención el relato de mis trabajos recordarán que un hombre de la tribu me siguió como un perro podría seguirme, hasta la sombra irregular de los muros. Cuando salí del último sótano, lo encontré en la boca de la caverna. Estaba tirado en la arena, donde trazaba torpemente y borraba una hilera de signos, que eran como las letras de los sueños, que uno está a punto de entender y luego se juntan. Al principio, creí que se trataba de una escritura bárbara; después vi que es absurdo imaginar que hombres que no llegaron a la palabra lleguen a la escritura. Además, ninguna de las formas era igual a otra, lo cual excluía o alejaba la posibilidad de que fueran simbólicas. El hombre las trazaba, las miraba y las corregía. De golpe, como si le fastidiara ese juego, las borró con la palma y el antebrazo. Me miró, no pareció reconocerme. Sin embargo, tan grande era el alivio que me inundaba (o tan grande y medrosa mi soledad) que di en pensar que ese rudimental troglodita, que me miraba desde el suelo de la caverna, había estado esperándome. El sol caldeaba la llanura; cuando emprendimos el regreso a la aldea, bajo las primeras estrellas, la arena era ardorosa bajo los pies. El troglodita me precedió; esa noche concebí el propósito de enseñarle a reconocer, y acaso a repetir, algunas palabras. El perro y el caballo (reflexioné) son capaces de lo primero; muchas aves, como el ruiseñor de los Césares, de lo último. Por muy basto que fuera el entendimiento de un hombre, siempre sería superior al de irracionales.

La humildad y miseria del troglodita me trajeron a la memoria la imagen de Argos, el viejo perro moribundo de la Odisea, y así le puse el nombre de Argos y traté de enseñárselo. Fracasé y volví a fracasar. Los arbitrios, el rigor y la obstinación fueron del todo vanos. Inmóvil, con los ojos inertes, no parecía percibir los sonidos que yo procuraba inculcarle. A unos pasos de mí, era como si estuviera muy lejos. Echado en la arena, como una pequeña y ruinosa esfinge de lava, dejaba que sobre él giraran los cielos, desde el crepúsculo del día hasta el de la noche. Juzgué imposible que no se percatara de mi propósito. Recordé que es fama entre los etíopes que los monos deliberadamente no hablan para que no los obliguen a trabajar y atribuí a suspicacia o a temor el silencio de Argos. De esa imaginación pasé a otras, aún más extravagantes. Pensé que Argos y yo participábamos de universos distintos; pensé que nuestras percepciones eran iguales, pero que Argos las combinaba de otra manera y construía con ellas otros objetos; pensé que acaso no había objetos para él, sino un vertiginoso y continuo juego de impresiones brevísimas. Pensé en un mundo sin memoria, sin tiempo; consideré la posibilidad de un lenguaje que ignorara los sustantivos, un lenguaje de verbos impersonales o de indeclinables epítetos. Así fueron muriendo los días y con los días los años, pero algo parecido a la felicidad ocurrió una mañana. Llovió, con lentitud poderosa.

Las noches del desierto pueden ser frías, pero aquélla había sido un fuego. Soñé que un río de Tesalia (a cuyas aguas yo había restituido un pez de oro) venía a rescatarme; sobre la roja arena y la negra piedra yo lo oía acercarse; la frescura del aire y el rumor atareado de la lluvia me despertaron. Corrí desnudo a recibirla. Declinaba la noche; bajo las nubes amarillas la tribu, no menos dichosa que yo, se ofrecía a los vívidos aguaceros en una especie de éxtasis. Parecían coribantes a quienes posee la divinidad. Argos, puestos los ojos en la esfera, gemía; raudales le rodaban por la cara; no sólo de agua, sino (después lo supe) de lágrimas. Argos, le grité, Argos.

Entonces, con mansa admiración, como si descubriera una cosa perdida y olvidada hace mucho tiempo, Argos balbuceó estas palabras: *Argos, perro de Ulises*. Y después, también sin mirarme: *Este perro tirado en el estiércol*.

Fácilmente aceptamos la realidad, acaso porque intuimos que nada es real. Le pregunté qué sabía de la Odisea. La práctica del griego le era penosa; tuve que repetir la pregunta.

Muy poco, dijo. *Menos que el rapsoda más pobre. Ya habrán pasado mil cien años desde que la inventé.*

IV

Todo me fue dilucidado, aquel día. Los trogloditas eran los Inmortales; el riacho de aguas arenosas, el Río que buscaba el jinete. En cuanto a la ciudad cuyo renombre se había dilatado hasta el Ganges, nueve siglos haría que los Inmortales la habían asolado. Con las reliquias de su ruina erigieron, en el mismo lugar, la desatinada ciudad que yo recorrí: suerte de parodia o reverso y también templo de los dioses irracionales que manejan el mundo y de los que nada sabemos, salvo que no se parecen al hombre. Aquella fundación fue el último símbolo a que condescendieron los Inmortales; marca una etapa en que, juzgando que toda empresa es vana, determinaron vivir en el pensamiento, en la pura especulación. Erigieron la fábrica, la olvidaron y fueron a morar en las cuevas. Absortos, casi no percibían el mundo físico.

Esas cosas Homero las refirió, como quien habla con un niño. También me refirió su vejez y el postrer viaje que emprendió, movido, como Ulises, por el propósito de llegar a los hombres que no saben lo que es el mar ni comen carne sazonada con sal ni sospechan lo que es un remo. Habitó un siglo en la Ciudad de los In-

125

mortales. Cuando la derribaron, aconsejó la fundación de la otra. Ello no debe sorprendernos; es fama que después de cantar la guerra de Ilión, cantó la guerra de las ranas y los ratones. Fue como un dios que creara el cosmos y luego el caos.

Ser inmortal es baladí; menos el hombre, todas las criaturas lo son, pues ignoran la muerte; lo divino, lo terrible, lo incomprensible, es saberse inmortal. He notado que, pese a las religiones, esa convicción es rarísima. Israelitas, cristianos y musulmanes profesan la inmortalidad, pero la veneración que tributan al primer siglo prueba que sólo creen en él, ya que destinan todos los demás, en número infinito, a premiarlo o a castigarlo. Más razonable me parece la rueda de ciertas religiones del Indostán; en esa rueda, que no tiene principio ni fin, cada vida es efecto de la anterior y engendra la siguiente, pero ninguna determina el conjunto... Adoctrinada por un ejercicio de siglos, la república de hombres inmortales había logrado la perfección de la tolerancia y casi del desdén. Sabía que en un plazo infinito le ocurren a todo hombre todas las cosas. Por sus pasadas o futuras virtudes, todo hombre es acreedor a toda bondad, pero también a toda traición, por sus infamias del pasado o del porvenir. Así como en los juegos de azar las cifras pares y las cifras impares tienden al equilibrio, así también se anulan y se corrigen el ingenio y la estolidez y acaso el rústico poema del Cid es el contrapeso exigido por un solo epíteto de las Églogas o por una sentencia de Heráclito. El pensamiento más fugaz obedece a un dibujo invisible y puede coronar, o inaugurar, una forma secreta. Sé de quienes obran el mal para que en los siglos futuros resultara el bien, o hubiera resultado en los ya pretéritos... Encarados así, todos nuestros actos son justos, pero también son indiferentes. No hay méritos morales o intelectuales. Homero compuso la Odisea; postulado un plazo infinito, con infinitas circunstancias y cambios, lo imposible es no componer, siquiera una vez, la Odisea. Nadie es alguien, un solo hombre inmortal es todos los hombres. Como Cornelio Agrippa, soy dios, soy héroe, soy filósofo, soy demonio y soy mundo, lo cual es una fatigosa manera de decir que no soy.

El concepto del mundo como sistema de precisas compensaciones influyó vastamente en los Inmortales. En primer término, los hizo invulnerables a la piedad. He mencionado las antiguas canteras que rompían los campos de la otra margen; un hombre se despeñó en la más honda; no podía lastimarse ni morir, pero lo abrasaba la sed; antes que le arrojaran una cuerda pasaron setenta años. Tampoco interesaba el propio destino. El cuerpo era un sumiso animal doméstico y le bastaba, cada mes, la limosna de unas horas de sueño, de un poco de agua y de una piltrafa de carne. Que nadie quiera rebajarnos a ascetas. No hay placer más complejo que el pensamiento y a él nos entregábamos. A veces, un estímulo extraordinario nos restituía al mundo físico. Por ejemplo, aquella mañana, el viejo goce elemental de la lluvia. Esos lapsos eran rarísimos; todos los Inmortales eran capaces de perfecta quietud; recuerdo alguno a quien jamás he visto de pie: un pájaro anidaba en su pecho.

Entre los corolarios de la doctrina de que no hay cosa que no esté compensada por otra, hay uno de muy poca importancia teórica, pero que nos indujo, a fines o a principios del siglo x, a dispersarnos por la faz de la tierra. Cabe en estas palabras: *Existe un río cuyas aguas dan la inmortalidad; en alguna región habrá otro río cuyas aguas la borren.* El número de ríos no es infinito; un viajero inmortal que recorre el mundo acabará, algún día, por haber bebido de todos. Nos propusimos descubrir ese río.

La muerte (o su alusión) hace preciosos y patéticos a los hombres. Éstos conmueven por su condición de fantasmas; cada acto que ejecutan puede ser último; no hay rostro que no esté por desdibujarse como el rostro de un sueño. Todo, entre los mortales, tiene el valor de lo irrecuperable y de lo azaroso. Entre los Inmortales en cambio, cada acto (y cada pensamiento) es el eco de otros que en el pasado lo antecedieron, sin principio visible, o el fiel presagio de otros que en el futuro lo repetirán hasta el vértigo. No hay cosa que no esté como perdida entre infatigables espejos. Nada puede ocurrir una sola vez, nada es preciosamente precario. Lo elegiaco, lo grave, lo ceremonial, no rigen para los Inmortales. Homero y yo nos separamos en las puertas de Tánger; creo que no nos dijimos adiós.

V

Recorrí nuevos reinos, nuevos imperios. En el otoño de 1066 milité en el puente de Stamford, ya no recuerdo si en las filas de Harold, que no tardó en hallar su destino, o en la de aquel infausto Harald Hardrada que conquistó seis pies de tierra inglesa, o un poco más. En el séptimo siglo de la Héjira, en el arrabal de Bulaq, trascribí con pausada caligrafía, en un idioma que he olvidado, en un alfabeto que ignoro, los siete viajes de Simbad y la historia de la Ciudad de Bronce. En un patio de la cárcel de Samarcanda he jugado muchísimo al ajedrez. En Bikanir he profesado la astrología y también en Bohemia. En 1638 estuve en Kolozsvár y después en Leipzig. En Aberdeen, en 1714, me suscribí a los seis volúmenes de la Ilíada de Pope; sé que los frecuenté con deleite. Hacia 1729 discutí el origen de ese poema con un profesor de retórica, llamado, creo, Giambattista; sus razones me parecieron irrefutables. El cuatro de octubre de 1921, el *Patna,* que me conducía a Bombay, tuvo que fondear en un puerto de la costa eritrea.[1] Bajé; recordé otras mañanas muy antiguas, también frente al Mar Rojo, cuando yo era tribuno de Roma y la fiebre y la magia y la inacción consumían a los soldados. En las afueras vi un caudal de agua clara; la probé, movido por la costumbre. Al repechar la mar-

[1] Hay una tachadura en el manuscrito; quizá el nombre del puerto ha sido borrado.

gen, un árbol espinoso me laceró el dorso de la mano. El inusitado dolor me pareció muy vivo. Incrédulo, silencioso y feliz, contemplé la preciosa formación de una lenta gota de sangre. De nuevo soy mortal, me repetí, de nuevo me parezco a todos los hombres. Esa noche, dormí hasta el amanecer.

...He revisado, al cabo de un año, estas páginas. Me consta que se ajustan a la verdad, pero en los primeros capítulos, y aun en ciertos párrafos de los otros, creo percibir algo falso. Ello es obra, tal vez, del abuso de rasgos circunstanciales, procedimiento que aprendí en los poetas y que todo lo contamina de falsedad, ya que esos rasgos pueden abundar en los hechos, pero no en su memoria... Creo, sin embargo, haber descubierto una razón más íntima. La escribiré; no importa que me juzguen fantástico.

La historia que he narrado parece irreal porque en ella se mezclan los sucesos de dos hombres distintos. En el primer capítulo, el jinete quiere saber el nombre del río que baña las murallas de Tebas; Flaminio Rufo, que antes ha dado a la ciudad el epíteto de Hekatómpylos, dice que el río es el Egipto; ninguna de esas locuciones es adecuada a él, sino a Homero, que hace mención expresa, en la Ilíada, de Tebas Hekatómpylos, y en la Odisea, por boca de Proteo y de Ulises, dice invariablemente Egipto por Nilo. En el capítulo segundo, el romano, al beber el agua inmortal, pronuncia unas palabras en griego; esas palabras son homéricas y pueden buscarse en el fin del famoso catálogo de las naves. Después, en el vertiginoso palacio, habla de "una reprobación que era casi un remordimiento"; esas palabras corresponden a Homero, que había proyectado ese horror. Tales anomalías me inquietaron; otras, de orden estético, me permitieron descubrir la verdad. El último capítulo las incluye; ahí está escrito que milité en el puente de Stamford, que trascribí, en Bulaq, los viajes de Simbad el Marino y que me suscribí, en Aberdeen, a la Ilíada inglesa de Pope. Se lee, *inter alia*: "En Bikanir he profesado la astrología y también en Bohemia." Ninguno de esos testimonios es falso; lo significativo es el hecho de haberlos destacado. El primero de todos parece convenir a un hombre de guerra, pero luego se advierte que el narrador no repara en lo bélico y sí en la suerte de los hombres. Los que siguen son más curiosos. Una oscura razón elemental me obligó a registrarlos; lo hice porque sabía que eran patéticos. No lo son, dichos por el romano Flaminio Rufo. Lo son, dichos por Homero; es raro que éste copie, en el siglo trece, las aventuras de Simbad, de otro Ulises, y descubra, a la vuelta de muchos siglos, en un reino boreal y un idioma bárbaro, las formas de su Ilíada. En cuanto a la oración que recoge el nombre de Bikanir, se ve que la ha fabricado un hombre de letras, ganoso (como el autor del catálogo de las naves) de mostrar vocablos espléndidos.[2]

Cuando se acerca el fin, ya no quedan imágenes del recuerdo; sólo quedan palabras. No es extraño que el tiempo haya confundido las que alguna vez me representaron con las que fueron símbolos de la suerte de quien me acompañó tantos siglos. Yo he sido Homero; en breve, seré Nadie, como Ulises; en breve, seré todos: estaré muerto.

Posdata de 1950. Entre los comentarios que ha despertado la publicación anterior, el más curioso, ya que no el más urbano, bíblicamente se titula *A coat of many colours* (Manchester, 1948) y es obra de la tenacísima pluma del doctor Nahum Cordovero. Abarca unas cien páginas. Habla de los centones griegos, de los centones de la baja latinidad, de Ben Jonson, que definió a sus contemporáneos con retazos de Séneca, del *Virgilius evangelizans* de Alexander Ross, de los artificios de George Moore y de Eliot y, finalmente, de "la narración atribuida al anticuario Joseph Cartaphilus". Denuncia, en el primer capítulo, breves interpolaciones de

2 Ernesto Sábato sugiere que el "Giambattista" que discutió la formación de la Ilíada con el anticuario Cartaphilus es Giambattista Vico; ese italiano defendía que Homero es un personaje simbólico, a la manera de Plutón o de Aquiles.

Plinio (*Historia naturalis,* v, 8); en el segundo, de Thomas De Quincey (*Writings,* III, 439); en el tercero, de una epístola de Descartes al embajador Pierre Chanut; en el cuarto, de Bernard Shaw (*Back to Methuselah,* v). Infiere de esas intrusiones, o hurtos, que todo el documento es apócrifo.

A mi entender, la conclusión es inadmisible. *Cuando se acerca el fin,* escribió Cartaphilus, *ya no quedan imágenes del recuerdo; sólo quedan palabras.* Palabras, palabras desplazadas y mutiladas, palabras de otros, fue la pobre limosna que le dejaron las horas y los siglos.

A Cecilia Ingenieros

Recabarren, tendido, entreabrió los ojos y vio el oblicuo cielo raso de junco. De la otra pieza le llegaba un rasgueo de guitarra, una suerte de pobrísimo laberinto que se enredaba y desataba infinitamente... Recordó poco a poco la realidad, las cosas cotidianas que ya no cambiaría nunca por otras. Miró sin lástima su gran cuerpo inútil, el poncho de lana ordinaria que le envolvía las piernas. Afuera, más allá de los barrotes de la ventana, se dilataban la llanura y la tarde; había dormido, pero aún quedaba mucha luz en el cielo. Con el brazo izquierdo tanteó, hasta dar con un cencerro de bronce que había al pie del catre. Una o dos veces lo agitó; del otro lado de la puerta seguían llegándole los modestos acordes. El ejecutor era un negro que había aparecido una noche con pretensiones de cantor y que había desafiado a otro forastero a una larga payada de contrapunto. Vencido, seguía frecuentando la pulpería, como a la espera de alguien. Se pasaba las horas con la guitarra, pero no había vuelto a cantar; acaso la derrota lo había amargado. La gente ya se había acostumbrado a ese hombre inofensivo. Recabarren, patrón de la pulpería, no olvidaría ese contrapunto; al día siguiente, al acomodar unos tercios de yerba, se le había muerto bruscamente el lado derecho y había perdido el habla. A fuerza de apiadarnos de las desdichas de los héroes de las novelas concluimos apiadándonos con exceso de las desdichas propias; no así el sufrido Recabarren, que aceptó la parálisis como antes había aceptado el rigor y las soledades de América. Habituado a vivir en el presente, como los animales, ahora miraba el cielo y pensaba que el cerco rojo de la luna era señal de lluvia.

Un chico de rasgos aindiados (hijo suyo, tal vez) entreabrió la puerta. Recabarren le preguntó con los ojos si había parroquiano. El chico, taciturno, le dijo por señas que no; el negro no contaba. El hombre postrado se quedó solo; su mano izquierda jugó un rato con el cencerro, como si ejerciera un poder.

La llanura, bajo el último sol, era casi abstracta, como vista en un sueño. Un punto se agitó en el horizonte y creció hasta ser un jinete, que venía, o parecía venir, a la casa. Recabarren vio el chambergo, el largo poncho oscuro, el caballo moro, pero no la cara del hombre, que, por fin, sujetó el galope y vino acercándose al trotecito. A unas doscientas varas dobló. Recabarren no lo vio más, pero lo oyó chistar, apearse, atar el caballo al palenque y entrar con paso firme en la pulpería.

Sin alzar los ojos del instrumento, donde parecía buscar algo, el negro dijo con dulzura:

—Ya sabía yo, señor, que podía contar con usted.

El otro, con voz áspera, replicó:

—Y yo con vos, moreno. Una porción de días te hice esperar, pero aquí he venido.

Hubo un silencio. Al fin, el negro respondió:

—Me estoy acostumbrando a esperar. He esperado siete años.

El otro explicó sin apuro:

—Más de siete años pasé yo sin ver a mis hijos. Los encontré ese día y no quise mostrarme como un hombre que anda a las puñaladas.

—Ya me hice cargo —dijo el negro—. Espero que los dejó con salud.

El forastero, que se había sentado en el mostrador, se rió de buena gana. Pidió una caña y la paladeó sin concluirla.

—Les di buenos consejos —declaró—, que nunca están de más y no cuestan nada. Les dije, entre otras cosas, que el hombre no debe derramar la sangre del hombre.

Un lento acorde precedió la respuesta del negro:

—Hizo bien. Así no se parecerán a nosotros.

—Por lo menos a mí —dijo el forastero y añadió como si pensara en voz alta—: Mi destino ha querido que yo matara y ahora, otra vez, me pone el cuchillo en la mano.

El negro, como si no lo oyera, observó:

—Con el otoño se van acortando los días.

—Con la luz que queda me basta —replicó el otro, poniéndose de pie.

Se cuadró ante el negro y le dijo como cansado:

—Dejá en paz la guitarra, que hoy te espera otra clase de contrapunto.

Los dos se encaminaron a la puerta. El negro, al salir, murmuró:

—Tal vez en éste me vaya tan mal como en el primero.

El otro contestó con seriedad:

—En el primero no te fue mal. Lo que pasó es que andabas ganoso de llegar al segundo.

Se alejaron un trecho de las casas, caminando a la par. Un lugar de la llanura era igual a otro y la luna resplandecía. De pronto se miraron, se detuvieron y el forastero se quitó las espuelas. Ya estaban con el poncho en el antebrazo, cuando el negro dijo:

—Una cosa quiero pedirle antes que nos trabemos. Que en este encuentro ponga todo su coraje y toda su maña, como en aquel otro de hace siete años, cuando mató a mi hermano.

Acaso por primera vez en su diálogo, Martín Fierro oyó el odio. Su sangre lo sintió como un acicate. Se entreveraron y el acero filoso rayó y marcó la cara del negro.

Hay una hora de la tarde en que la llanura está por decir algo; nunca lo dice o tal vez lo dice infinitamente y no lo entendemos, o lo entendemos pero es intraducible como una música... Desde su catre, Recabarren vio el fin. Una embestida y el negro reculó, perdió pie, amagó un hachazo a la cara y se tendió en un puñalada profunda, que penetró en el vientre. Después vino otra que el pulpero no alcanzó a precisar y Fierro no se levantó. Inmóvil, el negro parecía vigilar su agonía laboriosa. Limpió el facón ensangrentado en el pasto y

134

volvió a las casas con lentitud, sin mirar para atrás. Cumplida su tarea de justiciero, ahora era nadie. Mejor dicho era el otro: no tenía destino sobre la tierra y había matado a un hombre.

LA OTRA MUERTE

Un par de años hará (he perdido la carta), Gannon me escribió de Gualeguaychú, anunciando el envío de una versión, acaso la primera española, del poema *The past,* de Ralph Waldo Emerson, y agregando en una posdata que don Pedro Damián, de quien yo guardaría alguna memoria, había muerto noches pasadas, de una congestión pulmonar. El hombre, arrasado por la fiebre, había revivido en su delirio la sangrienta jornada de Masoller; la noticia me pareció previsible y hasta convencional, porque don Pedro, a los diecinueve o veinte años, había seguido las banderas de Aparicio Saravia. La revolución de 1904 lo tomó en una estancia de Río Negro o de Paysandú, donde trabajaba de peón; Pedro Damián era entrerriano, de Gualeguaychú, pero fue adonde fueron los amigos, tan animoso y tan ignorante como ellos. Combatió en algún entrevero y en la batalla última; repatriado en 1905, retomó con humilde tenacidad las tareas de campo. Que yo sepa, no volvió a dejar su provincia. Los últimos treinta años los pasó en un puesto muy solo, a una o dos leguas de Ñancay; en aquel desamparo, yo conversé con él una tarde (yo traté de conversar con él una tarde), hacia 1942. Era hombre taciturno, de pocas luces. El sonido y la furia de Masoller agotaban su historia; no me sorprendió que los reviviera, en la hora de su muerte... Supe que no vería más a Damián y quise recordarlo; tan pobre es mi memoria visual que sólo recordé una fotografía que Gannon le tomó. El hecho nada tiene de singular, si consideramos que al hombre lo vi a principios de 1942, una vez, y a la efigie, muchísimas. Gannon me mandó esa fotografía; la he perdido y ya no la busco. Me daría miedo encontrarla.

El segundo episodio se produjo en Montevideo, meses

después. La fiebre y la agonía del entrerriano me sugirieron un relato fantástico sobre la derrota de Masoller; Emir Rodríguez Monegal, a quien referí el argumento, me dio unas líneas para el coronel Dionisio Tabares, que había hecho esa campaña. El coronel me recibió después de comer. Desde un sillón de hamaca, en un patio, recordó con desorden y con amor los tiempos que fueron. Habló de municiones que no llegaron y de caballadas rendidas, de hombres dormidos y terrosos tejiendo laberintos de marchas, de Saravia, que pudo haber entrado en Montevideo y que se desvió, "porque el gaucho le teme a la ciudad", de hombres degollados hasta la nuca, de una guerra civil que me pareció menos la colisión de dos ejércitos que el sueño de un matrero. Habló de Illescas, de Tupambaé, de Masoller. Lo hizo con períodos tan cabales y de un modo tan vívido que comprendí que muchas veces había referido esas mismas cosas, y temí que detrás de sus palabras casi no quedaran recuerdos. En un respiro conseguí intercalar el nombre de Damián.

—¿Damián? ¿Pedro Damián? —dijo el coronel—. Ése sirvió conmigo. Un tapecito que le decían Daymán los muchachos —inició una ruidosa carcajada y la cortó de golpe, con fingida o veraz incomodidad.

Con otra voz dijo que la guerra servía, como la mujer, para que se probaran los hombres, y que, antes de entrar en batalla, nadie sabía quién era. Alguien podía pensarse cobarde y ser un valiente, y asimismo al revés, como le ocurrió a ese pobre Damián, que se anduvo floreando en las pulperías con su divisa blanca y después flaqueó en Masoller. En algún tiroteo con los *zumacos* se portó como un hombre, pero otra cosa fue cuando los ejércitos se enfrentaron y empezó el cañoneo y cada hombre sintió que cinco mil hombres se habían coaligado para matarlo. Pobre gurí, que se la había pasado bañando ovejas y que de pronto lo arrastró esa patriada...

Absurdamente, la versión de Tabares me avergonzó. Yo hubiera preferido que los hechos no ocurrieran así.

Con el viejo Damián, entrevisto una tarde, hace muchos años, yo había fabricado, sin proponérmelo, una suerte de ídolo; la versión de Tabares lo destrozaba. Súbitamente comprendí la reserva y la obstinada soledad de Damián; no las había dictado la modestia, sino el bochorno. En vano me repetí que un hombre acosado por un acto de cobardía es más complejo y más interesante que un hombre meramente animoso. El gaucho Martín Fierro, pensé, es menos memorable que Lord Jim o que Razumov. Sí, pero Damián, como gaucho, tenía obligación de ser Martín Fierro, sobre todo, ante gauchos orientales. En lo que Tabares dijo y no dijo percibí el agreste sabor de lo que se llamaba artiguismo: la conciencia (tal vez incontrovertible) de que el Uruguay es más elemental que nuestro país y, por ende, más bravo... Recuerdo que esa noche nos despedimos con exagerada efusión.

En el invierno, la falta de una o dos circunstancias para mi relato fantástico (que torpemente se obstinaba en no dar con su forma) hizo que yo volviera a la casa del coronel Tabares. Lo hallé con otro señor de edad: el doctor Juan Francisco Amaro, de Paysandú, que también había militado en la revolución de Saravia. Se habló, previsiblemente, de Masoller. Amaro refirió unas anécdotas y después agregó con lentitud, como quien está pensando en voz alta:

—Hicimos noche en Santa Irene, me acuerdo, y se nos incorporó alguna gente. Entre ellos, un veterinario francés que murió la víspera de la acción, y un mozo esquilador, de Entre Ríos, un tal Pedro Damián.

Lo interrumpí con acritud.

—Ya sé —le dije—. El argentino que flaqueó ante las balas.

Me detuve; los dos me miraban perplejos.

—Usted se equivoca, señor —dijo, al fin, Amaro—. Pedro Damián murió como querría morir cualquier hombre. Serían las cuatro de la tarde. En la cumbre de la cuchilla se había hecho fuerte la infantería colorada; los nuestros la cargaron, a lanza; Damián iba en la punta, gritando, y una bala lo acertó en pleno pecho. Se paró en los estribos, concluyó el grito y rodó por tierra y quedó entre lás patas de los caballos. Estaba muerto y la última carga de Masoller le pasó por encima. Tan valiente y no había cumplido veinte años.

Hablaba, a no dudarlo, de otro Damián, pero algo me hizo preguntar qué gritaba el gurí.

—Malas palabras —dijo el coronel—, que es lo que se grita en las cargas.

—Puede ser —dijo Amaro—, pero también gritó ¡Viva Urquiza!

Nos quedamos callados. Al fin, el coronel murmuró:

—No como si peleara en Masoller, sino en Cagancha o India Muerta, hará un siglo.

Agregó con sincera perplejidad:

—Yo comandé esas tropas, y juraría que es la primera vez que oigo hablar de un Damián.

No pudimos lograr que lo recordara.

En Buenos Aires, el estupor que me produjo su olvido se repitió. Ante los once deleitables volúmenes de las obras de Emerson, en el sótano de la librería inglesa de Mitchell, encontré, una tarde, a Patricio Gannon. Le pregunté por su traducción de *The past*. Dijo que no pensaba traducirlo y que la literatura española era tan tediosa que hacía innecesario a Emerson. Le recordé que me había prometido esa versión en la misma carta en que me escribió la muerte de Damián. Preguntó quién era Damián. Se lo dije, en vano. Con un principio de terror advertí que me oía con extrañeza, y busqué amparo en una discusión literaria sobre los detractores de Emerson, poeta más complejo, más diestro y sin duda más singular que el desdichado Poe.

Algunos hechos más debo registrar. En abril tuve carta del coronel Dionisio Tabares; éste ya no estaba ofuscado y ahora se acordaba muy bien del entrerrianito que hizo punta en la carga de Masoller y que enterraron esa noche sus hombres, al pie de la cuchilla. En julio pasé por Gualeguaychú; no di con el rancho de Damián, de quien ya nadie se acordaba. Quise interrogar al puestero Diego Abaroa, que lo vio morir; éste había fallecido antes del invierno. Quise traer a la memoria los rasgos de Damián; meses después, hojeando unos álbumes, comprobé que el rostro sombrío que yo había conseguido evocar era el del célebre tenor Tamberlick, en el papel de Otelo.

Paso ahora a las conjeturas. La más fácil, pero también la menos satisfactoria, postula dos Damianes: el cobarde que murió en Entre Ríos hacia 1946, el valiente que murió en Masoller en 1904. Su defecto reside en no explicar lo realmente enigmático: los curiosos vaivenes de la memoria del coronel Tabares, el olvido que anula en tan poco tiempo la imagen y hasta el nombre del que volvió. (No acepto, no quiero aceptar, una conjetura más simple: la de haber soñado al primero.) Más curiosa es la conjetura sobrenatural que ideó Ulrike von Kühlmann. Pedro Damián, decía Ulrike, pereció en la batalla, y en la hora de su muerte suplicó a Dios que lo hiciera volver a Entre Ríos. Dios vaciló un segundo antes de otorgar esa gracia, y quien la había pedido ya estaba muerto, y algunos hombres lo habían visto caer. Dios, que no puede cambiar el pasado, pero sí las imágenes del pasado, cambió la imagen de la muerte en la de un desfallecimiento, y la sombra del entrerriano volvió a su tierra. Volvió, pero debemos recordar su condición de sombra. Vivió en la soledad, sin una mujer, sin amigos; todo lo amó y lo poseyó, pero desde lejos, como del otro lado de un cristal; "murió", y su tenue imagen se perdió, como el agua en el agua. Esa conjetura es errónea, pero hubiera debido sugerirme la verdadera (la que hoy creo la verdadera), que a la vez es más simple y más inaudita. De un modo casi mágico la descubrí en el tratado *De Omnipotentia,* de Pier Damiani, a cuyo estudio me llevaron dos versos del canto xxi del *Paradiso,* que plantean precisamente un problema de identidad. En el quinto capítulo de aquel tratado, Pier Damiani sostiene, contra Aristóteles y contra Fredegario de Tours, que Dios puede efectuar que no haya sido lo que alguna vez fue. Leí esas viejas discusiones teológicas y empecé a comprender la trágica historia de don Pedro Damián.

La adivino así. Damián se portó como un cobarde en el campo de Masoller, y dedicó la vida a corregir esa bochornosa flaqueza. Volvió a Entre Ríos; no alzó la mano a ningún hombre, no *marcó* a nadie, no buscó fama de valiente, pero en los campos de Ñancay se hizo duro, lidiando con el monte y la hacienda chúcara. Fue preparando, sin duda sin saberlo, el milagro. Pensó con lo más hondo: Si el destino me trae otra batalla, yo sabré merecerla. Durante cuarenta años la aguardó con oscura esperanza, y el destino al fin se la trajo, en la hora de su muerte. La trajo en forma de delirio pero ya los griegos sabían que somos las sombras de un sueño. En la agonía revivió su batalla, y se condujo como un hombre y encabezó la carga final y una bala lo acertó en pleno pecho. Así, en 1946, por obra de una larga pasión, Pedro Damián murió en la derrota de Masoller, que ocurrió entre el invierno y la primavera de 1904.

En la Suma Teológica se niega que Dios pueda hacer que lo pasado no haya sido, pero nada se dice de la intrincada concatenación de causas y efectos, que es tan vasta y tan íntima que acaso no cabría anular *un solo* hecho remoto, por insignificante que fuera, sin invalidar el presente. Modificar el pasado no es modificar un solo hecho; es anular sus consecuencias, que tienden a ser infinitas. Dicho sea con otras palabras: es crear dos historias universales. En la primera (digamos), Pedro Damián murió en Entre Ríos, en 1946; en la segunda, en Masoller, en 1904. Ésta es la que vivimos ahora, pero la supresión de aquélla no fue inmediata y produjo las incoherencias que he referido. En el coronel Dionisio Tabares se cumplieron las diversas etapas: al principio recordó que Damián obró como un cobarde; luego, lo olvidó totalmente; luego, recordó su impetuosa muerte. No menos corroborativo es el caso del puestero

Abaroa; éste murió, lo entiendo, porque tenía demasiadas memorias de don Pedro Damián.

En cuanto a mí, entiendo no correr un peligro análogo. He adivinado y registrado un proceso no accesible a los hombres, una suerte de escándalo de la razón; pero algunas circunstancias mitigan ese privilegio temible. Por lo pronto, no estoy seguro de haber escrito siempre la verdad. Sospecho que en mi relato hay falsos recuerdos. Sospecho que Pedro Damián (si existió) no se llamó Pedro Damián, y que yo lo recuerdo bajo ese nombre para creer algún día que su historia me fue sugerida por los argumentos de Pier Damiani. Algo parecido acontece con el poema que mencioné en el primer párrafo y que versa sobre la irrevocabilidad del pasado. Hacia 1951 creeré haber fabricado un cuento fantástico y habré historiado un hecho real; también el inocente Virgilio, hará dos mil años, creyó anunciar el nacimiento de un hombre y vaticinaba el de Dios.

¡Pobre Damián! La muerte lo llevó a los veinte años en una triste guerra ignorada y en una batalla casera, pero consiguió lo que anhelaba su corazón, y tardó mucho en conseguirlo, y acaso no hay mayores felicidades.

HOMBRE DE LA ESQUINA ROSADA

A Enrique Amorim

A mí, tan luego, hablarme del finado Francisco Real. Yo lo conocí, y eso que éstos no eran sus barrios porque él sabía tallar más bien por el Norte, por esos laos de la laguna de Guadalupe y la Batería. Arriba de tres veces no lo traté, y ésas en una misma noche, pero es noche que no se me olvidará, como que en ella vino la Lujanera porque sí, a dormir en mi rancho y Rosendo Juárez dejó, para no volver, el Arroyo. A ustedes, claro que les falta la debida esperiencia para reconocer ese nombre, pero Rosendo Juárez el Pegador era de los que pisaban más fuerte por Villa Santa Rita. Mozo acreditao pal cuchillo y era uno de los hombres de D. Nicolás Paredes, que era uno de los hombres de Morel. Sabía llegar de lo más rumboso a la timba, en un oscuro, con las prendas de plata; los hombres y los perros lo respetaban y las chinas también; nadie ignoraba que estaba debiendo dos muertes; usaba un chambergo alto, de ala finita, sobre la melena cuidada; la suerte lo mimaba, como quien dice. Los mozos del lugar le copiábamos hasta el modo de escupir. Sin embargo, una noche nos ilustró la verdadera condición de Rosendo.
Parece cuento, pero la historia de esa noche rarísima empezó por un placero insolente de ruedas coloradas, lleno hasta el tope de hombres, que iba a los barquinazos por esos callejones de barro duro, entre los hornos de ladrillo y los huecos, y dos de negro, déle guitarriar y aturdir, y el del pescante que les tiraba un fustazo a los perros sueltos que se le atravesaban al moro, y un emponchado iba silencioso en el medio, y ése era el Corralero de tantas mentas, y el hombre iba a peliar y a matar. La noche era una bendición de tan

fresca; dos de ellos iban sobre la capota volcada, como si la soledá juera un corso. Ése jué el primer sucedido de tantos que hubo, pero recién después lo supimos. Los muchachos estábamos dende temprano en el salón de Julia, que era un galpón de chapas de cinc, entre el camino de Gaona y el Maldonado. Era un local que usté lo divisaba de lejos, por la luz que mandaba a la redonda el farol sinvergüenza, y por el barullo también. La Julia, aunque de humilde color, era de lo más consciente y formal, así que no faltaban musicantes, güen beberaje y compañeras resistentes pal baile. Pero la Lujanera, que era la mujer de Rosendo, las sobraba lejos a todas. Se murió, señor, y digo que hay años en que ni pienso en ella, pero había que verla en sus días, con esos ojos. Verla, no daba sueño.

La caña, la milonga, el hembraje, una condescendiente mala palabra de boca de Rosendo, una palmada suya en el mentón que yo trataba de sentir como una amistá: la cosa es que yo estaba lo más feliz. Me tocó una compañera muy seguidora, que iba como adivinándome la intención. El tango hacía su voluntá con nosotros y nos arriaba y nos perdía y nos ordenaba y nos volvía a encontrar. En esa diversión estaban los hombres, lo mismo que en un sueño, cuando de golpe me pareció crecida la música, y era que ya se entreveraba con ella la de los guitarreros del coche, cada vez más cercano. Después, la brisa que la trajo tiró por otro rumbo, y volví a atender a mi cuerpo y al de la compañera y a las conversaciones del baile. Al rato largo llamaron a la puerta con autoridá, un golpe y una voz. En seguida un silencio general, una pechada poderosa a la puerta y el hombre estaba adentro. El hombre era parecido a la voz.

Para nosotros no era todavía Francisco Real, pero sí un tipo alto, fornido, trajeado enteramente de negro, y una chalina de un color como bayo, echada sobre el hombro. La cara recuerdo que era aindiada, esquinada.

Me golpeó la hoja de la puerta al abrirse. De puro atolondrado me le juí encima y le encajé la zurda en la

144

cara, mientras con la derecha sacaba el cuchillo filoso que cargaba en la sisa del chaleco, junto al sobaco izquierdo. Poco iba a durarme la atropellada. El hombre, para afirmarse, estiró los brazos y me·hizo a un lado, como despidiéndose de un estorbo. Me dejó agachado detrás, todavía con la mano abajo del saco, sobre el arma inservible. Siguió como si tal cosa, adelante. Siguió, siempre más alto que cualquiera de los que iba desapartando, siempre como sin ver. Los primeros —puro italianaje mirón— se abrieron como abanico, apurados. La cosa no duró. En el montón siguiente ya estaba el Inglés esperándolo, y antes de sentir en el hombro la mano del forastero, se le durmió con un planazo que tenía listo. Jué ver ese planazo y jué venírsele ya todos al humo. El establecimiento tenía más de muchas varas de fondo, y lo arriaron como un cristo, casi de punta a punta, a pechadas, a silbidos y a salivazos. Primero le tiraron trompadas, después, al ver que ni se atajaba los golpes, puras cachetadas a mano abierta o con el fleco inofensivo de las chalinas, como riéndose de él. También, como reservándolo pa Rosendo, que no se había movido para eso de la paré del fondo, en la que hacía espaldas, callado. Pitaba con apuro su cigarrillo, como si ya entendiera lo que vimos claro después. El Corralero fue empujado hasta él, firme y ensangrentado, con ese viento de chamuchina pifiadora detrás. Silbando, chicoteado, escupido, recién habló cuando se enfrentó con Rosendo. Entonces lo miró y se despejó la cara con el antebrazo y dijo estas cosas:

—Yo soy Francisco Real, un hombre del Norte. Yo soy Francisco Real, que le dicen el Corralero. Yo les he consentido a estos infelices que me alzaran la mano, porque lo que estoy buscando es un hombre. Andan por ahí unos bolaceros diciendo que en estos andurriales hay uno que tiene mentas de cuchillero y de malo, y que le dicen el Pegador. Quiero encontrarlo pa que me enseñe a mí, que soy naides, lo que es un hombre de coraje y de vista.

Dijo esas cosas y no le quitó los ojos de encima. Ahora

le relucía el cuchillo en la mano derecha, que en fija lo había traído en la manga. Alrededor se habían ido abriendo los que empujaron, y todos los mirábamos a los dos, en un gran silencio. Hasta la jeta del mulato ciego que tocaba el violín acataba ese rumbo.

En eso, oigo que se desplazaban atrás, y me veo en el marco de la puerta seis o siete hombres, que serían la barra del Corralero. El más viejo, un hombre apaisanado, curtido, de bigote entrecano, se adelantó para quedarse como encandilado por tanto hembraje y tanta luz, y se descubrió con respeto. Los otros vigilaban, listos para dentrar a tallar si el juego no era limpio.

¿Qué le pasaba mientras tanto a Rosendo, que no lo sacaba pisotiando a ese balanquero? Seguía callado, sin alzarle los ojos. El cigarro no sé si lo escupió o si se le cayó de la cara. Al fin pudo acertar con unas palabras, pero tan despacio que a los de la otra punta del salón no nos alcanzó lo que dijo. Volvió Francisco Real a desafiarlo y él a negarse. Entonces, el más muchacho de los forasteros silbó. La Lujanera lo miró aborreciéndolo y se abrió paso con la crencha en la espalda, entre el carreraje y las chinas, y se jué a su hombre y le metió la mano en el pecho y le sacó el cuchillo desenvainado y se lo dio con estas palabras:

—Rosendo, creo que lo estarás precisando.

A la altura del techo había una especie de ventana alargada que miraba al arroyo. Con las dos manos recibió Rosendo el cuchillo y lo filió como si no lo reconociera. Se empinó de golpe hacia atrás y voló el cuchillo derecho y fue a perderse ajuera, en el Maldonado. Yo sentí como un frío.

—De asco no te carneo —dijo el otro, y alzó, para castigarlo, la mano. Entonces la Lujanera se le prendió y le echó los brazos al cuello y lo miró con esos ojos y le dijo con ira:

—Dejalo a ése, que nos hizo creer que era un hombre.

Francisco Real se quedó perplejo un espacio y luego la abrazó como para siempre y les gritó a los musicantes que le metieran tango y milonga, y a los demás de la diversión, que bailáramos. La milonga corrió como un incendio de punta a punta. Real bailaba muy grave, pero sin ninguna luz, ya pudiéndola. Llegaron a la puerta y gritó:

—¡Vayan abriendo cancha, señores, que la llevo dormida!

Dijo, y salieron sien con sien, como en la marejada del tango, como si los perdiera el tango.

Debí ponerme colorao de vergüenza. Di unas vueltitas con alguna mujer y la planté de golpe. Inventé que era por el calor y por la apretura y juí orillando la paré hasta salir. Linda la noche, ¿para quién? A la vuelta del callejón estaba el placero, con el par de guitarras derechas en el asiento, como cristianos. Dentré a amargarme de que las descuidaran así, como si ni pa recoger changangos sirviéramos. Me dio coraje de sentir que no éramos naides. Un manotón a mi clavel de atrás de la oreja y lo tiré a un charquito y me quedé un espacio mirándolo, como para no pensar en más nada. Yo hubiera querido estar de una vez en el día siguiente, yo me quería salir de esa noche. En eso, me pegaron un codazo que jué casi un alivio. Era Rosendo, que se escurría solo del barrio.

—Vos siempre has de servir de estorbo, pendejo —me rezongó al pasar, no sé si para desahogarse, o ajeno. Agarró el lado más oscuro, el del Maldonado; no lo volví a ver más.

Me quedé mirando esas cosas de toda la vida —cielo hasta decir basta, el arroyo que se emperraba solo ahí abajo, un caballo dormido, el callejón de tierra, los hornos— y pensé que yo era apenas otro yuyo de esas orillas, criado entre las flores de sapo y las osamentas. ¿Qué iba a salir de esa basura sino nosotros, gritones pero blandos para el castigo, boca y atropellada no más? Sentí después que no, que el barrio cuanto más aporriao, más obligación de ser guapo. ¿Basura? La milonga déle loquiar, y déle bochinchar en las casas, y traia olor a madreselvas el viento. Linda al ñudo la noche. Había de estrellas como para marearse mirándolas, unas encima de otras. Yo forcejiaba por sentir que a mí no me representaba nada el asunto, pero la cobardía de Rosendo y el coraje insufrible del forastero no me querían dejar. Hasta de una mujer para esa noche se había podido aviar el hombre alto. Para ésa y para muchas, pensé, y tal vez para todas, porque la Lujanera era cosa seria. Sabe Dios qué lado agarraron. Muy lejos no podían estar. A lo mejor ya se estaban empleando los dos, en cualquier cuneta.

Cuando alcancé a volver, seguía como si tal cosa el bailongo.

Haciéndome el chiquito, me entreveré en el montón, y vi que alguno de los nuestros había rajado y que los norteros tangueaban junto con los demás. Codazos y encontrones no había, pero sí recelo y decencia. La música parecía dormilona, las mujeres que tangueaban con los del Norte no decían esta boca es mía.

Yo esperaba algo, pero no lo que sucedió.

Ajuera oímos una mujer que lloraba y después la voz que ya conocíamos, pero serena, casi demasiado serena, como si ya no juera de alguien, diciéndole:

—Entrá, m'hija —y luego otro llanto. Luego la voz como si empezara a desesperarse.

—¡Abrí te digo, abrí guacha arrastrada, abrí perra! —Se abrió en eso la puerta tembleque, y entró la Lujanera, sola. Entró mandada, como si viniera arreando-la alguno.

—La está mandando un ánima —dijo el Inglés.

—Un muerto, amigo —dijo entonces el Corralero. El rostro era como de borracho. Entró, y en la cancha que le abrimos todos, como antes, dio unos pasos mareados —alto, sin ver— y se fue al suelo de una vez, como poste. Uno de los que vinieron con él lo acostó de espaldas y le acomodó el ponchito de almohada. Esos ausilios lo ensuciaron de sangre. Vimos entonces que traiba una herida juerte en el pecho; la sangre le encharcaba y ennegrecía un lengue punzó que antes no le oservé, porque lo tapó la chalina. Para la primer cura, una de las mujeres trujo caña y unos trapos quemados.

El hombre no estaba para esplicar. La Lujanero lo miraba como perdida, con los brazos colgando. Todos estaban preguntándose con la cara y ella consiguió hablar al fin. Dijo que luego de salir con el Corralero, se jueron a un campito, y que en eso cae un desconocido y lo llama como desesperado a pelear y le infiere esa puñalada y que ella jura que no sabe quién es y que no es Rosendo. ¿Quién le iba a creer?

El hombre a nuestros pies se moría. Yo pensé que no le había temblado el pulso al que lo arregló. El hombre, sin embargo, era duro. Cuando golpeó, la Julia había estao cebando unos mates y el mate dio la vuelta redonda y volvió a mi mano, antes que falleciera. "Tápenme la cara", dijo despacio, cuando no pudo más. Sólo le quedaba el orgullo y no iba a consentir que le curiosearan los visajes de la agonía. Alguien le puso encima el chambergo negro, que era de copa altísima. Se murió abajo del chambergo, sin queja. Cuando el pecho acostado dejó de subir y bajar, se animaron a descubrirlo. Tenía ese aire fatigado de los difuntos; era de los hombres de más coraje que hubo en aquel entonces, dende la Batería hasta el Sur; en cuanto lo supe muerto y sin habla, le perdí el odio.

—Para morir no se precisa más que estar vivo —dijo una del montón, y otra, pensativa también:

—Tanta soberbia el hombre, y no sirve más que pa juntar moscas.

Entonces los norteros jueron diciéndose una cosa despacio y dos a un tiempo la repitieron juerte después:

—Lo mató la mujer.

Uno le gritó en la cara si era ella, y todos la cercaron. Ya me olvidé que tenía que prudenciar y me les atravesé como luz. De atolondrado, casi pelo el fiyingo. Sentí que muchos me miraban, para no decir todos. Dije como con sorna:

—Fijensén en las manos de esa mujer. ¿Qué pulso ni qué corazón va a tener para clavar una puñalada?

Añadí, medio desganado de guapo:

—¿Quién iba a soñar que el finao, que asegún dicen,

era malo en su barrio, juera a concluir de una manera tan bruta y en un lugar tan enteramente muerto como éste, ánde no pasa nada, cuando no cae alguno de ajuera para distrairnos y queda para la escupida después?

El cuero no le pidió biaba a ninguno.

En eso iba creciendo en la soledá un ruido de jinetes. Era la policía. Quien más, quien menos, todos tendrían su razón para no buscar ese trato, porque determinaron que lo mejor era traspasar el muerto al arroyo. Recordarán ustedes aquella ventana alargada por la que pasó en un brillo el puñal. Por ahí pasó después el hombre de negro. Lo levantaron entre muchos y de cuanto centavo y cuanta zoncera tenía, lo alijeraron esas manos y alguno le hachó un dedo para refalarle el anillo. Aprovechadores, señor, que así se le animaban a un pobre dijunto indefenso, después que lo arregló otro más hombre. Un envión y el agua torrentosa y sufrida se lo llevó. Para que no sobrenadara, no sé si le arrancaron las vísceras, porque preferí no mirar. El de bigote gris no me quitaba los ojos. La Lujanera aprovechó el apuro para salir.

Cuando echaron un vistazo los de la ley, el baile estaba medio animado. El ciego del violín le sabía sacar unas habaneras de las que ya no se oyen. Ajuera estaba queriendo clariar. Unos postes de ñandubay sobre una lomada estaban como sueltos, porque los alambrados finitos no se dejaban divisar tan temprano.

Yo me fui tranquilo a mi rancho, que estaba a unas tres cuadras. Ardía en la ventana una lucecita, que se apagó en seguida. De juro que me apuré a llegar, cuando me di cuenta. Entonces, Borges, volví a sacar el cuchillo corto y filoso que yo sabía cargar aquí, en el chaleco, junto al sobaco izquierdo, y le pegué otra revisada despacio, y estaba como nuevo, inocente, y no quedaba ni un rastrito de sangre.

LA INTRUSA

Dicen (lo cual es improbable) que la historia fue referida por Eduardo, el menor de los Nelson, en el velorio de Cristián, el mayor, que falleció de muerte natural, hacia mil ochocientos noventa y tantos, en el partido de Morón. Lo cierto es que alguien la oyó de alguien, en el decurso de esa larga noche perdida, entre mate y mate, y la repitió a Santiago Dabove, por quien la supe. Años después, volvieron a contármela en Turdera, donde había acontecido. La segunda versión, algo más prolija, confirmaba en suma la de Santiago, con las pequeñas variaciones y divergencias que son del caso. La escribo ahora porque en ella se cifra, si no me engaño, un breve y trágico cristal de la índole de los orilleros antiguos. Lo haré con probidad, pero ya preveo que cederé a la tentación literaria de acentuar o agregar algún pormenor.

En Turdera los llamaban los Nilsen. El párraco me dijo que su predecesor recordaba, no sin sorpresa, haber visto en la casa de esa gente una gastada Biblia de tapas negras, con caracteres góticos; en las últimas páginas entrevió nombres y fechas manuscritas. Era el único libro que había en la casa. La azarosa crónica de los Nilsen, perdida como todo se perderá. El caserón, que ya no existe, era de ladrillo sin revocar; desde el zaguán se divisaban un patio de baldosa colorada y otro de tierra. Pocos, por lo demás, entraron ahí; los Nilsen defendían su soledad. En las habitaciones desmanteladas dormían en catres; sus lujos eran el caballo, el apero, la daga de hoja corta, el atuendo rumboso de los sábados y el alcohol pendenciero. Sé que eran altos, de melena rojiza. Dinamarca o Irlanda, de las que nunca oirían hablar, andaban por la sangre de esos dos criollos. El barrio los temía a los Colorados; no es imposible que debieran alguna muerte. Hombro a hombro pelearon una vez a la policía. Se dice que el menor tuvo un altercado con Juan Iberra, en el que no llevó la peor parte, lo cual, según los entendidos, es mucho. Fueron troperos, cuarteadores, cuatreros y alguna vez tahures. Tenían fama de avaros, salvo cuando la bebida y el juego los volvían generosos. De sus deudos nada se sabe ni de dónde vinieron. Eran dueños de una carreta y una yunta de bueyes.

Físicamente diferían del compadraje que dio su apodo forajido a la Costa Brava. Esto, y lo que ignoramos, ayuda a comprender lo unidos que fueron. Malquistarse con uno era contar con dos enemigos.

Los Nilsen eran calaveras, pero sus episodios amorosos habían sido hasta entonces de zaguán o de casa mala. No faltaron, pues, comentarios cuando Cristián llevó a vivir con él a Juliana Burgos. Es verdad que ganaba así una sirvienta, pero no es menos cierto que la colmó de horrendas baratijas y que la lucía en las fiestas. En las pobres fiestas de conventillo, donde la quebrada y el corte estaban prohibidos y donde se bailaba, todavía, con mucha luz. Juliana era de tez morena y de ojos rasgados; bastaba que alguien la mirara, para que se sonriera. En un barrio modesto, donde el trabajo y el descuido gastan a las mujeres, no era mal parecida.

Eduardo los acompañaba al principio. Después emprendió un viaje a Arrecifes por no sé qué negocio; a su vuelta llevó a la casa una muchacha, que había levantado por el camino, y a los pocos días la echó. Se hizo más hosco; se emborrachaba solo en el almacén y no se daba con nadie. Estaba enamorado de la mujer de Cristián. El barrio, que tal vez lo supo antes que él, previó con alevosa alegría la rivalidad latente de los hermanos.

Una noche, al volver tarde de la esquina, Eduardo vio el oscuro de Cristián atado al palenque. En el patio, el mayor estaba esperándolo con sus mejores pilchas.

La mujer iba y venía con el mate en la mano. Cristián le dijo a Eduardo:

—Yo me voy a una farra en lo de Farías. Ahí la tenés a la Juliana; si la querés usala.

El tono era entre mandón y cordial. Eduardo se quedó un tiempo mirándolo; no sabía qué hacer. Cristián se levantó, se despidió de Eduardo, no de Juliana, que era una cosa, montó a caballo y se fue al trote, sin apuro.

Desde aquella noche la compartieron. Nadie sabrá los pormenores de esa sórdida unión, que ultrajaba las decencias del arrabal. El arreglo anduvo bien por unas semanas, pero no podía durar. Entre ellos, los hermanos no pronunciaban el nombre de Juliana, ni siquiera para llamarla, pero buscaban, y encontraban, razones para no estar de acuerdo. Discutían la venta de unos cueros, pero lo que discutían era otra cosa. Cristián solía alzar la voz y Eduardo callaba. Sin saberlo, estaban celándose. En el duro suburbio, un hombre no decía, ni se decía, que una mujer pudiera importarle, más allá del deseo y la posesión, pero los dos estaban enamorados. Esto, de algún modo, los humillaba.

Una tarde, en la plaza de Lomas, Eduardo se cruzó con Juan Iberra, que lo felicitó por ese primor que se había agenciado. Fue entonces, creo, que Eduardo lo injurió. Nadie, delante de él, iba hacer burla de Cristián.

La mujer atendía a los dos con sumisión bestial; pero no podía ocultar alguna preferencia, sin duda por el menor, que no había rechazado la participación, pero que no la había dispuesto.

Un día, le mandaron a la Juliana que sacara dos sillas al primer patio y que no apareciera por ahí, porque tenían que hablar. Ella esperaba un diálogo largo y se acostó a dormir la siesta, pero al rato la recordaron. Le hicieron llenar una bolsa con todo lo que tenía, sin olvidar el rosario de vidrio y la crucecita que le había dejado su madre. Sin explicarle nada la subieron a la carreta y emprendieron un silencioso

153

y tedioso viaje. Había llovido; los caminos estaban muy pesados y serían las once de la noche cuando llegaron a Morón. Ahí la vendieron a la patrona del prostíbulo. El trato ya estaba hecho; Cristián cobró la suma y la dividió con el otro.

En Turdera, los Nilsen, perdidos hasta entonces en la maraña (que también era una rutina) de aquel monstruoso amor, quisieron reanudar su antigua vida de hombres entre hombres. Volvieron a las trucadas, al reñidero, a las juergas casuales. Acaso, alguna vez, se creyeron salvados, pero solían incurrir, cada cual por su lado, en injustificadas o harto justificadas ausencias. Poco antes de fin de año el menor dijo que tenía que hacer en la capital. Cristián se fue a Morón; en el palenque de la casa que sabemos reconoció al overo de Eduardo. Entró; adentro estaba el otro, esperando turno. Parece que Cristián le dijo:

—De seguir así, los vamos a cansar a los pingos. Más vale que la tengamos a mano.

Habló con la patrona, sacó unas monedas del tirador y se la llevaron. La Juliana iba con Cristián; Eduardo espoleó al overo para no verlos.

Volvieron a lo que ya se ha dicho. La infame solución había fracasado; los dos habían cedido a la tentación de hacer trampa. Caín andaba por ahí, pero el cariño entre los Nilsen era muy grande —¡quién sabe qué rigores y qué peligros habían compartido!— y prefirieron desahogar su exasperación con ajenos. Con un desconocido, con los perros, con la Juliana, que había traído la discordia.

El mes de marzo estaba por concluir y el calor no cejaba. Un domingo (los domingos la gente suele recogerse temprano) Eduardo, que volvía del almacén, vio que Cristián uncía los bueyes. Cristián le dijo:

—Vení; tenemos que dejar unos cueros en lo de Pardo; ya los cargué; aprovechemos la fresca.

El comercio de Pardo quedaba, creo, más al Sur; tomaron por el Camino de las Tropas; después, por un desvío. El campo iba agrandándose con la noche.

154

Orillaron un pajonal; Cristián tiró el cigarro que había encendido y dijo sin apuro.

—A trabajar, hermano. Después nos ayudarán los caranchos. Hoy la maté. Que se quede aquí con sus pilchas, ya no hará más perjuicios.

Se abrazaron, casi llorando. Ahora los ataba otro vínculo: la mujer tristemente sacrificada y la obligación de olvidarla.

IV
ENSAYOS

Quizá la historia universal es la historia de unas cuantas metáforas. Bosquejar un capítulo de esa historia es el fin de esta nota.

Seis siglos antes de la era cristiana, el rapsoda Jenófanes de Colofón, harto de los versos homéricos que recitaba de ciudad en ciudad, fustigó a los poetas que atribuyeron rasgos antropomórficos a los dioses y propuso a los griegos un solo Dios, que era una esfera eterna. En el *Timeo,* de Platón, se lee que la esfera es la figura más perfecta y más uniforme, porque todos los puntos de la superficie equidistan del centro; Olof Gigon (*Ursprung der griechischen Philosophie,* 183) entiende que Jenófanes habló analógicamente; el Dios era esferoide, porque esa forma es la mejor, o la menos mala, para representar la divinidad. Parménides, cuarenta años después, repitió la imagen ("el Ser es semejante a la masa de una esfera bien redondeada, cuya fuerza es constante desde el centro en cualquier dirección"); Calogero y Mondolfo razonan que intuyó una esfera infinita, o infinitamente creciente, y que las palabras que acabo de trascribir tienen un sentido dinámico (Albertelli: *Gli Eleati,* 148). Parménides enseñó en Italia; a pocos años de su muerte, el siciliano Empédocles de Agrigento urdió una laboriosa cosmogonía; hay una etapa en que las partículas de tierra, de agua, de aire y de fuego, integran una esfera sin fin, "el *Sphairos redondo,* que exulta en su soledad circular".

La historia universal continuó su curso, los dioses demasiado humanos que Jenófanes atacó fueron rebajados a ficciones poéticas o a demonios, pero se dijo que uno, Hermes Trismegisto, había dictado un número variable de libros (42, según Clemente de Alejandría; 20 000, según Jámblico; 36 525, según los sacerdotes de Thoth, que también es Hermes), en cuyas páginas estaban escritas todas las cosas. Fragmentos de su biblioteca ilusoria, compilados o fraguados desde el siglo III, forman lo que se llama el *Corpus Hermeticum;* en alguno de ellos, o en el *Asclepio,* que también se atribuyó a Trismegisto, el teólogo francés Alain de Lille —Alanus de Insulis— descubrió a fines del siglo XII esta fórmula, que las edades venideras no olvidarían: "Dios es una esfera inteligible, cuyo centro está en todas partes y la circunferencia en ninguna." Los presocráticos hablaron de una esfera sin fin; Albertelli (como antes, Aristóteles) piensa que hablar así es cometer una *contradictio in adjecto,* porque sujeto y predicado se anulan; ello bien puede ser verdad, pero la fórmula de los libros herméticos nos deja, casi, intuir esa esfera. En el siglo XIII, la imagen reapareció en el simbólico *Roman de la Rose,* que la da como de Platón, y en la enciclopedia *Speculum Triplex*; en el XVI, el último capítulo del último libro de *Pantagruel* se refirió a "esa esfera intelectual, cuyo centro está en todas partes y la circunferencia en ninguna, que llamamos Dios". Para la mente medieval, el sentido era claro: Dios está en cada una de sus criaturas, pero ninguna Lo limita. "El cielo, el cielo de los cielos, no te contiene", dijo Salomón (I Reyes, VIII, 27); la metáfora geométrica de la esfera hubo de parecer una glosa de esas palabras.

El poema de Dante ha preservado la astronomía ptolemaica, que durante mil cuatrocientos años rigió la imaginación de los hombres. La tierra ocupa el centro del universo. Es una esfera inmóvil; en torno giran nueve esferas concéntricas. Las siete primeras son los cielos planetarios (cielos de la Luna, de Mercurio, de Venus, del Sol, de Marte, de Júpiter, de Saturno); la octava, el cielo de las estrellas fijas; la novena, el cielo cristalino llamado también Primer Móvil. A éste lo rodea el Empíreo, que está hecho de luz. Todo este laborioso aparato de esferas huecas, trasparentes y giratorias (algún sistema requería cincuenta y cinco), había llegado a ser una necesidad mental; *De hypothesibus*

motum coelestium commentariolus es el tímido título
que Copérnico, negador de Aristóteles, puso al manuscrito que trasformó nuestra visión del cosmos. Para
un hombre, para Giordano Bruno, la rotura de las bóvedas estelares fue una liberación. Proclamó, en la *Cena
de las cenizas,* que el mundo es el efecto infinito de
una causa infinita y que la divinidad está cerca, "pues
está dentro de nosotros más aún de lo que nosotros mismos estamos dentro de nosotros". Buscó palabras para
declarar a los hombres el espacio copernicano y en una
página famosa estampó: "Podemos afirmar con certidumbre que el universo es todo centro, o que el centro
del universo está en todas partes y la circunferencia
en ninguna" (*De la causa, principio ed uno,* v).

Esto se escribió con exultación, en 1584, todavía en
la luz del Renacimiento; setenta años después, no quedaba un reflejo de ese fervor y los hombres se sintieron
perdidos en el tiempo y en el espacio. En el tiempo,
porque si el futuro y el pasado son infinitos, no habrá
realmente un cuándo; en el espacio, porque si todo ser
equidista de lo infinito y de lo infinitesimal, tampoco
habrá un dónde. Nadie está en algún día, en algún lugar; nadie sabe el tamaño de su cara. En el Renacimiento, la humanidad creyó haber alcanzado la edad
viril, y así lo declaró por boca de Bruno, de Campane-
lla y de Bacon. En el siglo XVII la acobardó una sensación de vejez; para justificarse, exhumó la creencia de
una lenta y fatal degeneración de todas las criaturas,
por obra del pecado de Adán. (En el quinto capítulo
del Génesis consta que "todos los días de Matusalén
fueron novecientos setenta y nueve años"; en el sexto,
que "había gigantes en la tierra en aquellos días".) El
primer aniversario de la elegía *Anatomy of the World,*
de John Donne, lamentó la vida brevísima y la estatura
mínima de los hombres contemporáneos, que son como
las hadas y los pigmeos; Milton, según la biografía de
Johnson, temió que ya fuera imposible en la tierra el
género épico; Glanvill juzgó que Adán, "medalla de
Dios", gozó de una visión telescópica y microscópica;

Robert South famosamente escribió: "Un Aristóteles no fue sino los escombros de Adán, y Atenas, los rudimentos del Paraíso." En aquel siglo desanimado, el espacio absoluto que inspiró los hexámetros de Lucrecio, el espacio absoluto que había sido una liberación para Bruno, fue un laberinto y un abismo para Pascal. Éste aborrecía el universo y hubiera querido adorar a Dios, pero Dios, para él, era menos real que el aborrecido universo. Deploró que no hablara el firmamento, comparó nuestra vida con la de náufragos en una isla desierta. Sintió el peso incesante del mundo físico, sintió vértigo, miedo y soledad, y los puso en otras palabras: "La naturaleza es una esfera infinita, cuyo centro está en todas partes y la circunferencia en ninguna." Así publica Brunschvicg el texto, pero la edición crítica de Tourneur (París, 1941), que reproduce las tachaduras y vacilaciones del manuscrito, revela que Pascal empezó a escribir *effroyable*: "Una esfera espantosa, cuyo centro está en todas partes y la circunferencia en ninguna."

Quizá la historia universal es la historia de la diversa entonación de algunas metáforas.

Buenos Aires, 1951

LA FLOR DE COLERIDGE

Hacia 1938, Paul Valéry escribió: "La Historia de la literatura no debería ser·la historia de los autores y de los accidentes de su carrera o de la carrera de sus obras sino la Historia del Espíritu como productor o consumidor de literatura. Esa historia podría llevarse a término sin mencionar un solo escritor." No era la primera vez que el Espíritu formulaba esa observación; en 1844, en el pueblo de Concord, otro de sus amanuenses había anotado: "Diríase que una sola persona ha redactado cuantos libros hay en el mundo; tal unidad central hay en ellos que es innegable que son obra de un solo caballero omnisciente" (Emerson: *Essays*, 2, VIII). Veinte años antes, Shelley dictaminó que todos los poemas del pasado, del presente y del porvenir, son episodios o fragmentos de un solo poema infinito, erigido por todos los poetas del orbe (*A defense of poetry*, 1821).

Esas consideraciones (implícitas, desde luego, en el panteísmo) permitirían un inacabable debate; yo, ahora, las invoco para ejecutar un modesto propósito: la historia de la evolución de una idea, a través de los textos heterogéneos de tres autores. El primer texto es una nota de Coleridge; ignoro si éste la escribió a fines del siglo XVIII, o a principios del XIX. Dice, literalmente:

"Si un hombre atravesara el Paraíso en un sueño, y le dieran una flor como prueba de que había estado allí, y si al despertar encontrara esa flor en su mano... ¿entonces, qué?"

No sé qué opinará mi lector de esa imaginación; yo la juzgo perfecta. Usarla como base de otras invenciones felices parece previamente imposible; tiene la integridad y la unidad de un *terminus ad quem*, de una meta. Claro está que lo es; en el orden de la literatura, como en los otros, no hay acto que no sea coronación de una infinita serie de causas y manantial de una infinita serie de efectos. Detrás de la invención de Coleridge está la general y antigua invención de las generaciones de amantes que pidieron como prenda una flor.

El segundo texto que alegaré es una novela que Wells bosquejó en 1887 y reescribió siete años después, en el verano de 1894. La primera versión se tituló *The chronic Argonauts* (en este título abolido, *chronic* tiene el valor etimológico de *temporal*); la definitiva, *The time machine*. Wells, en esa novela, continúa y reforma una antiquísima tradición literaria: la previsión de hechos futuros. Isaías *ve* la desolación de Babilonia y la restauración de Israel; Eneas, el destino militar de su posteridad, los romanos; la profetisa de la *Edda Saemundi*, la vuelta de los dioses que, después de la cíclica batalla en que nuestra tierra perecerá, descubrirán, tiradas en el pasto de una nueva pradera, las piezas de ajedrez con que antes jugaron... El protagonista de Wells, a diferencia de tales espectadores proféticos, viaja físicamente al porvenir. Vuelve rendido, polvoriento y maltrecho; vuelve de una remota humanidad que se ha bifurcado en especies que se odian (los ociosos *eloi,* que habitan en palacios dilapidados y en ruinosos jardines; los subterráneos y nictálopes *morlocks,* que se alimentan de los primeros); vuelve con las sienes encanecidas y trae del porvenir una flor marchita. Tal es la segunda versión de la imagen de Coleridge. Más increíble que una flor celestial o que la flor de un sueño es la flor futura, la contradictoria flor cuyos átomos ahora ocupan otros lugares y no se combinaron aún.

La tercera versión que comentaré, la más trabajada, es invención de un escritor harto más complejo que Wells, si bien menos dotado de esas agradables virtudes que es usual llamar clásicas. Me refiero al autor de *La humillación de los Northmore,* el triste y laberíntico Henry James. Éste, al morir, dejó inconclusa una novela de carácter fantástico, *The sense of the past,* que es una variación o elaboración de *The time machine.*[1]

[1] No he leído *The Sense of the Past,* pero conozco el sufi-

El protagonista de Wells viaja al porvenir en un inconcebible vehículo, que progresa o retrocede en el tiempo como los otros vehículos en el espacio; el de James regresa al pasado, al siglo XVIII, a fuerza de compenetrarse con esa época. (Los dos procedimientos son imposibles, pero es menos arbitrario el de James.) En *The sense of the past,* el nexo entre lo real y lo imaginativo (entre la actualidad y el pasado) no es una flor, como en las anteriores ficciones; es un retrato que data del siglo XVIII y que misteriosamente representa al protagonista. Éste, fascinado por esa tela, consigue trasladarse a la fecha en que la ejecutaron. Entre las personas que encuentra, figura, necesariamente, el pintor; éste lo pinta con temor y con aversión, pues intuye algo desacostumbrado y anómalo en esas facciones futuras... James crea, así, un incomparable *regressus in infinitum,* ya que su héroe, Ralph Pendrel, se traslada al siglo XVIII porque lo fascina un viejo retrato, pero ese retrato requiere, para existir, que Pendrel se haya trasladado al siglo XVIII. La causa es posterior al efecto, el motivo del viaje es una de las consecuencias del viaje.

Wells, verosímilmente, desconocía el texto de Coleridge; Henry James conocía y admiraba el texto de Wells. Claro está que si es válida la doctrina de que todos los autores son un autor,[2] tales hechos son insignificantes. En rigor, no es indispensable ir tan lejos; el panteísta que declara que la pluralidad de los autores es ilusoria encuentra inesperado apoyo en el clasicista, según el cual esa pluralidad importa muy poco. Para las mentes clásicas, la literatura es lo esencial, no los individuos. George Moore y James Joyce han incorpo-

ciente análisis de Stephen Spender, en su obra *The Destructive Element* (páginas 105-110). James fue amigo de Wells; para su relación puede consultarse el vasto *Experiment in Autobiography* de éste.

[2] Al promediar el siglo XVII, el epigramatista del panteísmo Angelus Silesius dijo que todos los bienaventurados son uno (*Cherubinischer Wandersmann,* v, 7) y que todo cristiano debe ser Cristo (*op. cit.,* v, 9).

rado en sus obras páginas y sentencias ajenas; Oscar Wilde solía regalar argumentos para que otros los ejecutaran; ambas conductas, aunque superficialmente contrarias, pueden evidenciar un mismo sentido del arte. Un sentido ecuménico, impersonal... Otro testigo de la unidad profunda del Verbo, otro negador de los límites del sujeto, fue el insigne Ben Jonson, que, empeñado en la tarea de formular su testamento literario y los dictámenes propicios o adversos que sus contemporáneos le merecían, se redujo a ensamblar fragmentos de Séneca, de Quintiliano, de Justo Lipsio, de Vives, de Erasmo, de Maquiavelo, de Bacon y de los dos Escalígeros.

Una observación última. Quienes minuciosamente copian a un escritor, lo hacen impersonalmente, lo hacen porque confunden a ese escritor con la literatura, lo hacen porque sospechan que apartarse de él en un punto es apartarse de la razón y de la ortodoxia. Durante muchos años, yo creí que la casi infinita literatura estaba en un hombre. Ese hombre fue Carlyle, fue Johannes Becher, fue Whitman, fue Rafael Cansinos Asséns, fue De Quincey.

EL SUEÑO DE COLERIDGE

El fragmento lírico *Kubla Khan* (cincuenta y tantos versos rimados e irregulares, de prosodia exquisita) fue soñado por el poeta inglés Samuel Taylor Coleridge, en uno de los días del verano de 1797. Coleridge escribe que se había retirado a una granja en el confín de Exmoor; una indisposición lo obligó a tomar un hipnótico; el sueño lo venció momentos después de la lectura de un pasaje de Purchas, que refiere la edificación de un palacio por Kublai Khan, el emperador cuya fama occidental labró Marco Polo. En el sueño de Coleridge, el texto casualmente leído procedió a germinar y a multiplicarse; el hombre que dormía intuyó una serie de imágenes visuales y, simultáneamente, de palabras que las manifestaban; al cabo de una hora se despertó, con la certidumbre de haber compuesto, o recibido, un poema de unos trescientos versos. Los recordaba con singular claridad y pudo trascribir el fragmento que perdura en sus obras. Una visita inesperada lo interrumpió y le fue imposible, después, recordar el resto. "Descubrí, con no pequeña sorpresa y mortificación —cuenta Coleridge—, que si bien retenía de un modo vago la forma general de la visión, todo lo demás, salvo unas ocho o diez líneas sueltas, había desaparecido como las imágenes en la superficie de un río en el que se arroja una piedra, pero, ay de mí, sin la ulterior restauración de estas últimas." Swinburne sintió que lo rescatado era el más alto ejemplo de la música del inglés y que el hombre capaz de analizarlo podría (la metáfora es de John Keats) destejer un arco iris. Las traducciones o resúmenes de poemas cuya virtud fundamental es la música son vanas y pueden ser perjudiciales; bástenos retener, por ahora, que a Coleridge le fue dada *en un sueño* una página de no discutido esplendor.

El caso, aunque extraordinario, no es único. En el estudio psicológico *The world of dream,* Havelock Ellis lo ha equiparado con el del violinista y compositor Giuseppe Tartini, que soñó que el Diablo (su esclavo) ejecutaba en el violín una prodigiosa sonata; el soñador, al despertar, dedujo de su imperfecto recuerdo el *Trillo del Diavolo.* Otro clásico ejemplo de cerebración inconsciente es el de Robert Louis Stevenson, a quien un sueño (según él mismo ha referido en su *Chapter on dreams*) le dio el argumento de *Olalla* y otro, en 1884, el de *Jekyll y Hide.* Tartini quiso imitar en la vigilia la música de un sueño; Stevenson recibió del sueño argumentos, es decir, formas generales; más afín a la inspiración verbal de Coleridge es la que Beda el Venerable atribuye a Caedmon (*Historia eclesiastica gentis Anglorum,* iv, 24). El caso ocurrió a fines del siglo vii, en la Inglaterra misionera y guerrera de los reinos sajones. Caedmon era un rudo pastor y ya no era joven; una noche, se escurrió de una fiesta porque previó que le pasarían el arpa, y se sabía incapaz de cantar. Se echó a dormir en el establo, entre los caballos, y en el sueño alguien lo llamó por su nombre y le ordenó que cantara. Caedmon contestó que no sabía, pero el otro le dijo: "Canta el principio de las cosas creadas." Caedmon, entonces, dijo versos que jamás había oído. No los olvidó, al despertar, y pudo repetirlos ante los monjes del cercano monasterio de Hild. No aprendió a leer, pero los monjes le explicaban pasajes de la historia sagrada y él "los rumiaba como un limpio animal y los convertía en versos dulcísimos, y de esa manera cantó la creación del mundo y del hombre y toda la historia del Génesis y el éxodo de los hijos de Israel y su entrada en la tierra de promisión, y muchas otras cosas de la Escritura, y la encarnación, pasión, resurrección y ascensión del Señor, y la venida del Espíritu Santo y la enseñanza de los apóstoles, y también el terror del Juicio Final, el horror de las penas infernales, las dulzuras del cielo y las mercedes y los juicios de Dios". Fue el primer poeta sagrado de la nación inglesa; "nadie se igualó a él

—dice Beda—, porque no aprendió de los hombres sino de Dios". Años después, profetizó la hora en que iba a morir y la esperó durmiendo. Esperemos que volvió a encontrarse con su ángel.

A primera vista, el sueño de Coleridge corre el albur de parecer menos asombroso que el de su precursor. *Kubla Khan* es una composición admirable y las nueve líneas del himno soñado por Caedmon casi no presentan otra virtud que su origen onírico, pero Coleridge ya era un poeta y a Caedmon le fue revelada una vocación. Hay, sin embargo, un hecho ulterior, que magnifica hasta lo insondable la maravilla del sueño en que se engendró *Kubla Khan*. Si este hecho es verdadero, la historia del sueño de Coleridge es anterior en muchos siglos a Coleridge y no ha tocado aún a su fin.

El poeta soñó en 1797 (otros entienden que en 1798) y publicó su relación del sueño en 1816, a manera de glosa o justificación del poema inconcluso. Veinte años después, apareció en París, fragmentariamente, la primera versión occidental de una de esas historias universales en que la literatura persa es tan rica, el *Compendio de historias* de Rashid ed-Din, que data del siglo XIV. En una página se lee: "Al este de Shang-tu, Kublai Khan erigió un palacio, según un plano que había visto en un sueño y que guardaba en la memoria." Quien esto escribió era visir de Ghazan Mahmud, que descendía de Kublai.

Un emperador mogol, en el siglo XIII, sueña un palacio y lo edifica conforme a la visión; en el siglo XVIII, un poeta inglés que no pudo saber que esa fábrica se derivó de un sueño, sueña un poema sobre el palacio. Confrontadas con esta simetría, que trabaja con almas de hombres que duermen y abarca continentes y siglos, nada o muy poco son, me parece, las levitaciones, resurrecciones y apariciones de los libros piadosos.

¿Qué explicación preferiremos? Quienes de antemano rechazan lo sobrenatural (yo trato, siempre, de pertenecer a ese gremio) juzgarán que la historia de los dos sueños es una coincidencia, un dibujo trazado por

169

el azar, como las formas de leones o de caballos que a veces configuran las nubes. Otros argüirán que el poeta supo de algún modo que el emperador había soñado el palacio y dijo haber soñado el poema para crear una espléndida ficción que asimismo paliara o justificara lo truncado y rapsódico de los versos.[1] Esta conjetura es verosímil, pero nos obliga a postular, arbitrariamente, un texto no identificado por los sinólogos en el que Coleridge pudo leer, antes de 1816, el sueño de Kublai.[2] Más encantadoras son las hipótesis que trascienden lo racional. Por ejemplo, cabe suponer que el alma del emperador, destruido el palacio, penetró en el alma de Coleridge, para que éste lo reconstruyera en palabras, más duraderas que los mármoles y metales.

El primer sueño agregó a la realidad un palacio; el segundo, que se produjo cinco siglos después, un poema (o principio de poema) sugerido por el palacio; la similitud de los sueños deja entrever un plan; el período enorme revela un ejecutor sobrehumano. Indagar el propósito de ese inmortal o de ese longevo sería, tal vez, no menos atrevido que inútil, pero es lícito sospechar que no lo ha logrado. En 1691, el P. Gerbillon, de la Compañía de Jesús, comprobó que del palacio de Kublai Khan sólo quedaban ruinas; del poema nos consta que apenas se rescataron cincuenta versos. Tales hechos permiten conjeturar que la serie de sueños y de trabajos no ha tocado a su fin. Al primer soñador le fue deparada en la noche la visión del palacio y lo construyó; al segundo, que no supo del sueño del anterior, el poema sobre el palacio. Si no marra el esquema, algún lector de *Kublai Khan* soñará, en una noche de la que nos separan los siglos, un mármol

[1] A principios del siglo XIX o a fines del XVIII, juzgado por lectores de gusto clásico, *Kubla Khan* era harto más desaforado que ahora. En 1884, el primer biógrafo de Coleridge, Traill, pudo aún escribir: "El extravagante poema onírico *Kubla Khan* es poco más que una curiosidad psicológica."

[2] Véase John Livingston Lowes: *The road to Xanadu*, 1927, pp. 358, 585.

o una música. Ese hombre no sabrá que otros dos soñaron, quizá la serie de los sueños no tenga fin, quizá la clave esté en el último.

Ya escrito lo anterior, entreveo o creo entrever otra explicación. Acaso un arquetipo no revelado aún a los hombres, un objeto eterno (para usar la nomenclatura de Whitehead), esté ingresando paulatinamente en el mundo; su primera manifestación fue el palacio; la segunda el poema. Quien los hubiera comparado habría visto que eran esencialmente iguales.

NATHANIEL HAWTHORNE [1]

Empezaré la historia de las letras americanas con la historia de una metáfora; mejor dicho, con algunos ejemplos de esa metáfora. No sé quién la inventó; es quizá un error suponer que puedan inventarse metáforas. Las verdaderas, las que formulan íntimas conexiones entre una imagen y otra, han existido siempre; las que aún podemos inventar son las falsas, las que no vale la pena inventar. Esta que digo es la que asimila los sueños a una función de teatro. En el siglo XVII, Quevedo la formuló en el principio del *Sueño de la muerte*; Luis de Góngora, en el soneto *Varia imaginación*, donde leemos:

> *El sueño, autor de representaciones,*
> *en su teatro sobre el viento armado,*
> *sombras suele vestir de bulto bello.*

En el siglo XVIII, Addison lo dirá con más precisión. "El alma, cuando sueña —escribe Addison—, es teatro, actores y auditorio." Mucho antes, el persa Umar Khayyam había escrito que la historia del mundo es una representación que Dios, el numeroso Dios de los panteístas, planea, representa y contempla, para distraer su eternidad; mucho después, el suizo Jung, en encantadores y, sin duda, exactos volúmenes, equipara las invenciones literarias a las invenciones oníricas, la literatura a los sueños.

Si la literatura es un sueño, un sueño dirigido y deliberado, pero fundamentalmente un sueño, está bien que los versos de Góngora sirvan de epígrafe a esta historia

[1] Este texto es el de una conferencia dictada en el Colegio Libre de Estudios Superiores, en marzo de 1949.

de las letras americanas y que la inauguremos con el examen de Hawthorne, el soñador. Algo anteriores en el tiempo hay otros escritores americanos —Fenimore Cooper, una suerte de Eduardo Gutiérrez infinitamente inferior a Eduardo Gutiérrez; Washington Irving, urdidor de agradables españoladas— pero podemos olvidarlos sin riesgo.

Hawthorne nació en 1804, en el puerto de Salem. Salem adolecía, ya entonces, de dos rasgos anómalos en América; era una ciudad, aunque pobre, muy vieja, era una ciudad en decadencia. En esa vieja y decaída ciudad de honesto nombre bíblico, Hawthorne vivió hasta 1836; la quiso con el triste amor que inspiran las personas que no nos quieren, los fracasos, las enfermedades, las manías; esencialmente no es mentira decir que no se alejó nunca de ella. Cincuenta años después, en Londres o en Roma, seguía en su aldea puritana de Salem; por ejemplo, cuando desaprobó que los escultores, en pleno siglo XIX, labraran estatuas desnudas...

Su padre, el capitán Nathaniel Hawthorne, murió en 1808, en las Indias Orientales, en Surinam, de fiebre amarilla; uno de sus antepasados, John Hawthorne, fue juez en los procesos de hechicería de 1692, en los que diecinueve mujeres, entre ellas una esclava, Tituba, fueron condenadas a la horca. En esos curiosos procesos (ahora el fanatismo tiene otras formas), Justice Hawthorne obró con severidad y sin duda con sinceridad. "Tan conspicuo se hizo —escribió Nathaniel, nuestro Nathaniel— en el martirio de las brujas, que es lícito pensar que la sangre de esas desventuradas dejó una mancha en él. Una mancha tan honda que debe perdurar en sus viejos huesos, en el cementerio de Charter Street, si ahora no son polvo." Hawthorne agrega, después de ese rasgo pictórico: "No sé si mis mayores se arrepintieron y suplicaron la divina misericordia; yo, ahora, lo hago por ellos y pido que cualquier maldición que haya caído sobre su raza nos sea, desde el día de hoy, perdonada." Cuando el capitán Hawthorne murió, su viuda, la madre de Nathaniel, se recluyó en su dormitorio, en el segundo piso. En ese piso estaban los dormitorios de las hermanas, Louisa y Elizabeth; en el último, el de Nathaniel. Esas personas no comían juntas y casi no se hablaban; les dejaban la comida en una bandeja, en el corredor. Nathaniel se pasaba los días escribiendo cuentos fantásticos; a la hora del crepúsculo de la tarde salía a caminar. Ese furtivo régimen de vida duró doce años. En 1837 le escribió a Longfellow: "Me he recluido; sin el menor propósito de hacerlo, sin la menor sospecha de que eso iba a ocurrirme. Me he convertido en un prisionero, me he encerrado en un calabozo, y ahora ya no doy con la llave, y aunque estuviera abierta la puerta, casi me daría miedo salir." Hawthorne era alto, hermoso, flaco, moreno. Tenía un andar hamacado de hombre de mar. En aquel tiempo no había (sin duda felizmente para los niños) literatura infantil; Hawthorne había leído a los seis años el *Pilgrim's Progress;* el primer libro que compró con su plata fue *The Faerie Queen;* dos alegorías. También, aunque sus biógrafos no lo digan, la Biblia; quizá la misma que el primer Hawthorne, William Hawthorne de Wilton, trajo de Inglaterra con una espada, en 1630. He pronunciado la palabra *alegorías;* esa palabra es importante, quizá imprudente o indiscreta, tratándose de la obra de Hawthorne. Es sabido que Hawthorne fue acusado de alegorizar por Edgar Allan Poe y que éste opinó que esa actividad y ese género eran indefendibles. Dos tareas nos encaran: la primera, indagar si el género alegórico es, en efecto, ilícito; la segunda, indagar si Nathaniel Hawthorne incurrió en ese género. Que yo sepa, la mejor refutación de las alegorías es la de Croce; la mejor vindicación, la de Chesterton. Croce acusa a la alegoría de ser un fatigoso pleonasmo, un juego de vanas repeticiones, que en primer término nos muestra (digamos) a Dante guiado por Virgilio y Beatriz y luego nos explica, o nos da a entender, que Dante es el alma, Virgilio la filosofía o la razón o la luz natural, y Beatriz la teología o la gracia. Según Croce, según el argumento de Croce (el ejemplo no es de él),

Dante primero habría pensado: "La razón y la fe obran la salvación de las almas" o "La filosofía y la teología nos conducen al cielo" y luego, donde pensó *razón* o *filosofía,* puso *Virgilio* y donde pensó *teología* o *fe* puso *Beatriz,* lo que sería una especie de mascarada. La alegoría, según esa interpretación desdeñosa, vendría a ser una adivinanza, más extensa, más lenta y mucho más incómoda que las otras. Sería un género bárbaro o infantil, una distracción de la estética. Croce formuló esa refutación en 1907; en 1904, Chesterton ya la había refutado sin que aquél lo supiera. ¡Tan incomunicada y tan vasta es la literatura! La página pertinente de Chesterton consta en una monografía sobre el pintor Watts, ilustre en Inglaterra a fines del siglo XIX y acusado, como Hawthorne, de alegorismo. Chesterton admite que Watts ha ejecutado alegorías, pero niega que ese género sea culpable. Razona que la realidad es de una interminable riqueza y que el lenguaje de los hombres no agota ese vertiginoso caudal. Escribe: "El hombre sabe que hay en el alma tintes más desconcertantes, más innumerables y más anónimos que los colores de una selva otoñal. Cree, sin embargo, que esos tintes en todas sus funciones y conversiones son representables con precisión por un mecanismo arbitrario de gruñidos y de chillidos. Cree que del interior de un bolsista salen realmente ruidos que significan todos los misterios de la memoria y todas las agonías del anhelo..." Chesterton infiere, después, que puede haber diversos lenguajes que de algún modo correspondan a la inasible realidad; entre esos muchos, el de las alegorías y fábulas.

En otras palabras: Beatriz no es un emblema de la fe, un trabajoso y arbitrario sinónimo de la palabra *fe*; la verdad es que en el mundo hay una cosa —un sentimiento peculiar, un proceso íntimo, una serie de estados análogos— que cabe indicar por dos símbolos: uno, asaz pobre, el sonido *fe*; otro, *Beatriz,* la gloriosa *Beatriz* que bajó del cielo y dejó sus huellas en el Infierno para salvar a Dante. No sé si es válida la tesis de Chesterton; sé que una alegoría es tanto mejor cuanto sea menos reductible a un esquema, a un frío juego de abstracciones. Hay escritor que piensa por imágenes (Shakespeare o Donne o Victor Hugo, digamos) y escritor que piensa por abstracciones (Benda o Bertrand Russell); *a priori,* los unos valen tanto como los otros, pero, cuando un abstracto, un razonador, quiere ser también imaginativo, o pasar por tal, ocurre lo denunciado por Croce. Notamos que un proceso lógico ha sido engalanado y disfrazado por el autor, "para deshonra del entendimiento del lector", como dijo Wordsworth. Es, para citar un ejemplo notorio de esa dolencia, el caso de José Ortega y Gasset, cuyo buen pensamiento queda obstruido por laboriosas y adventicias metáforas; es, muchas veces, el de Hawthorne. Por lo demás, ambos escritores son antagónicos. Ortega puede razonar, bien o mal, pero no imaginar; Hawthorne era hombre de continua y curiosa imaginación, pero refractario, digámoslo así, al pensamiento. No digo que era estúpido; digo que pensaba por imágenes, por intuiciones, como suelen pensar las mujeres, no por un mecanismo dialéctico. Un error estético lo dañó: el deseo puritano de hacer de cada imaginación una fábula lo inducía a agregarles moralidades y a veces a falsearlas y a deformarlas. Se han conservado los cuadernos de apuntes en que anotaba, brevemente, argumentos; en uno de ellos, de 1836, está escrito: "Una serpiente es admitida en el estómago de un hombre y es alimentada por él, desde los quince a los treinta y cinco, atormentándolo horriblemente." Basta con eso, pero Hawthorne se considera obligado a añadir: "Podría ser un emblema de la envidia o de otra malvada pasión." Otro ejemplo, de 1838 esta vez: "Que ocurran acontecimientos extraños, misteriosos y atroces, que destruyan la felicidad de una persona. Que esa persona los impute a enemigos secretos y que descubra, al fin, que él es el único culpable y la causa. Moral, la felicidad está en nosotros mismos." Otro, del mismo año: "Un hombre, en la vigilia, piensa bien de otro y confía en él, plenamente, pero lo inquietan sueños en que ese amigo obra

176

como enemigo mortal. Se revela, al fin, que el carácter soñado era el verdadero. Los sueños tenían razón. La explicación sería la percepción instintiva de la verdad." Son mejores aquellas fantasías puras que no buscan justificación o moralidad y que parecen no tener otro fondo que un oscuro terror. Ésta, de 1838: "En medio de una multitud imaginar un hombre cuyo destino y cuya vida están en poder de otro, como si los dos estuviesen en un desierto." Ésta, que es una variación de la anterior y que Hawthorne apuntó cinco años después: "Un hombre de fuerte voluntad ordena a otro, moralmente sujeto a él, que ejecute un acto. El que ordena muere y el otro, hasta el fin de sus días, sigue ejecutando aquel acto." (No sé de qué manera Hawthorne hubiera escrito ese argumento; no sé si hubiera convenido que el acto ejecutado fuera trivial o levemente horrible o fantástico o tal vez humillante.) Éste, cuyo tema es también la esclavitud, la sujeción a otro: "Un hombre rico deja en su testamento su casa a una pareja pobre. Ésta se muda ahí; encuentra un sirviente sombrío que el testamento les prohibe expulsar. Éste los atormenta; se descubre, al fin, que es el hombre que les ha legado la casa." Citaré dos bosquejos más, bastante curiosos, cuyo tema (no ignorado por Pirandello o por André Gide) es la coincidencia o confusión del plano estético y del plano común, de la realidad y del arte. He aquí el primero: "Dos personas esperan en la calle un acontecimiento y la aparición de los principales actores. El acontecimiento ya está ocurriendo y ellos son los actores." El otro es más complejo: "Que un hombre escriba un cuento y compruebe que éste se desarrolla contra sus intenciones; que los personajes no obren como él quería; que ocurran hechos no previstos por él y que se acerque una catástrofe que él trate, en vano, de eludir. Ese cuento podría prefigurar su propio destino y uno de los personajes es él." Tales juegos, tales momentáneas confluencias del mundo imaginario y del mundo real —del mundo que en el curso de la lectura simulamos que es real— son, o nos parecen, modernos. Su origen, su antiguo origen, está acaso en aquel lugar de la *Ilíada* en que Elena de Troya teje su tapiz y lo que teje son batallas y desventuras de la misma guerra de Troya. Ese rasgo tiene que haber impresionado a Virgilio, pues en la *Eneida* consta que Eneas, guerrero de la guerra de Troya, arribó al puerto de Cartago y vio esculpidas en el mármol de un templo escenas de esa guerra y, entre tantas imágenes de guerreros, también su propia imagen. A Hawthorne le gustaban esos contactos de lo imaginario y lo real, son reflejos y duplicaciones del arte; también se nota, en los bosquejos que he señalado, que propendía a la noción panteísta de que un hombre es los otros, de que un hombre es todos los hombres.

Algo más grave que las duplicaciones y el panteísmo se advierte en los bosquejos, algo más grave para un hombre que aspira a novelista, quiero decir. Se advierte que el estímulo de Hawthorne, que el punto de partida de Hawthorne eran, en general, situaciones. Situaciones, no caracteres. Hawthorne primero imaginaba, acaso involuntariamente, una situación y buscaba, después, caracteres que la encarnaran. No soy un novelista, pero sospecho que ningún novelista ha procedido así: "Creo que Schomberg es real", escribió Joseph Conrad de uno de los personajes más memorables de su novela *Victory* y eso podría honestamente afirmar cualquier novelista de cualquier personaje. Las aventuras del *Quijote* no están muy bien ideadas, los lentos y antitéticos diálogos —razonamientos, creo que los llama el autor— pecan de inverosímiles, pero no cabe duda de que Cervantes conocía bien a Don Quijote y podía creer en él. Nuestra creencia en la creencia del novelista salva todas las negligencias y fallas. Qué importan hechos increíbles o torpes si nos consta que el autor los ha ideado, no para sorprender nuestra buena fe, sino para definir a sus personajes. Qué importan los pueriles escándalos y los confusos crímenes de la supuesta Corte de Dinamarca si creemos en el príncipe Hamlet. Hawthorne, en cambio, primero concebía una situación, o una serie de situaciones, y después elaboraba la gente que su plan requería. Ese método puede producir, o permitir, admirables cuentos, porque en ellos, en razón de su brevedad, la trama es más visible que los actores, pero no admirables novelas, donde la forma general (si la hay) sólo es visible al fin y donde un solo personaje mal inventado puede contaminar de irrealidad a quienes lo acompañan. De las razones anteriores podría, de antemano, inferirse que los cuentos de Hawthorne valen más que las novelas de Hawthorne. Yo entiendo que así es. Los veinticuatro capítulos que componen *La letra escarlata* abundan en pasajes memorables, redactados en buena y sensible prosa, pero ninguno de ellos me ha conmovido como la singular historia de Wakefield que está en los *Twice-Told Tales*. Hawthorne había leído en un diario, o simuló por fines literarios haber leído en un diario, el caso de un señor inglés que dejó a su mujer sin motivo alguno, se alojó a la vuelta de su casa, y ahí, sin que nadie lo sospechara, pasó oculto veinte años. Durante ese largo período, ·pasó todos los días frente a su casa o la miró desde la esquina, y muchas veces divisó a su mujer. Cuando lo habían dado por muerto, cuando hacía mucho tiempo que su mujer se había resignado a ser viuda, el hombre, un día, abrió la puerta de su casa y entró. Sencillamente, como si hubiera faltado unas horas. (Fue hasta el día de su muerte un esposo ejemplar.) Hawthorne leyó con inquietud el curioso caso y trató de entenderlo, de imaginarlo. Caviló sobre el tema; el cuento *Wakefield* es la historia conjetural de ese desterrado. Las interpretaciones del enigma pueden ser infinitas; veamos la de Hawthorne.

Éste imagina a Wakefield un hombre sosegado, tímidamente vanidoso, egoísta, propenso a misterios pueriles, a guardar secretos insignificantes; un hombre tibio, de gran pereza imaginativa y mental, pero capaz de largas y ociosas e inconclusas y vagas meditaciones; un marido constante, defendido por la pereza. Wakefield, en el atardecer de un día de octubre, se despide de su mujer. Le ha dicho —no hay que olvidar que estamos a principios del siglo xix— que va a tomar la diligencia y que regresará, a más tardar, dentro de unos días. La mujer, que lo sabe aficionado a misterios inofensivos, no le pregunta las razones del viaje. Wakefield está de botas, de galera, de sobretodo; lleva paraguas y valija. Wakefield —esto me parece admirable— no sabe aún lo que ocurrirá, fatalmente. Sale, con la resolución más o menos firme de inquietar o asombrar a su mujer, faltando una semana entera de casa. Sale, cierra la puerta de calle, luego la entreabre y, un momento, sonríe. Años después, la mujer recordará esa sonrisa última. Lo imaginará en un cajón con la sonrisa helada en la cara, o en el paraíso, en la gloria, sonriendo con astucia y tranquilidad. Todos creerán que ha muerto y ella recordará esa sonrisa y pensará que, acaso, no es viuda. Wakefield, al cabo de unos cuantos rodeos, llega al alojamiento que tenía listo. Se acomoda junto a la chimenea y sonríe; está a la vuelta de su casa y ha arribado al término de su viaje. Duda, se felicita, le parece increíble ya estar ahí, teme que lo hayan observado y que lo denuncien. Casi arrepentido, se acuesta; en la vasta cama desierta tiende los brazos y repite en voz alta: "No dormiré solo otra noche." Al otro día, se recuerda más temprano que de costumbre y se pregunta, con perplejidad, qué va a hacer. Sabe que tiene algún propósito, pero le cuesta definirlo. Descubre, finalmente, que su propósito es averiguar la impresión que una semana de viudez causará en la ejemplar señora de Wakefield. La curiosidad lo impulsa a la calle. Murmura: "Espiaré de lejos mi casa." Camina, se distrae; de pronto se da cuenta de que el hábito lo ha traído, alevosamente, a su propia puerta y que está por entrar. Entonces retrocede aterrado. ¿No lo habrán visto; no lo perseguirán? En una esquina se da vuelta y mira su casa; ésta le parece distinta, porque él ya es otro, porque una sola noche ha obrado en él, aunque él no lo sabe, una trasformación. En su alma se ha operado el cambio moral que lo condenará a veinte años de exilio. Ahí, realmente, empieza la larga aventura. Wakefield adquiere una peluca rojiza. Cambia de hábitos; al cabo de algún tiempo ha establecido una nueva rutina. Lo aqueja la sospecha de que su ausencia no ha trastornado bastante a la señora Wakefield. Decide no volver hasta haberle dado un buen susto. Un día el boticario entra en la casa, otro día el médico. Wakefield se aflige, pero teme que su brusca reaparición pueda agravar el mal. Poseído, deja correr el tiempo; antes pensaba "Volveré en tantos días", ahora, "en tantas semanas". Y así pasan diez años. Hace ya mucho que no sabe que su conducta es rara. Con todo el tibio afecto de que su corazón es capaz, Wakefield sigue queriendo a su mujer y ella está olvidándolo. Un domingo por la mañana se cruzan los dos en la calle, entre las muchedumbres de Londres. Wakefield ha enflaquecido; camina oblicuamente, como ocultándose, como huyendo; su frente baja está como surcada de arrugas; su rostro, que antes era vulgar, ahora es extraordinario, por la empresa extraordinaria que ha ejecutado. En sus ojos chicos la mirada acecha o se pierde. La mujer ha engrosado; lleva en la mano un libro de misa y toda ella parece un emblema de plácida y resignada viudez. Se ha acostumbrado a la tristeza y no la cambiaría, tal vez, por la felicidad. Cara a cara, los dos se miran en los ojos. La muchedumbre los aparta, los pierde. Wakefield huye a su alojamiento, cierra la puerta con dos vueltas de llave y se tira en la cama donde lo trabaja un sollozo. Por un instante ve la miserable singularidad de su vida. "¡Wakefield, Wakefield! ¡Estás loco!", se dice. Quizá lo está. En el centro de Londres se ha desvinculado del mundo. Sin haber muerto ha renunciado a su lugar y a sus privilegios entre los hombres vivos. Mentalmente sigue viviendo junto a su mujer en su hogar. No sabe, o casi nunca sabe, que es otro. Repite "Pronto regresaré" y no piensa que hace veinte años que está repitiendo lo mismo. En el recuerdo los veinte años de soledad le parecen un interludio, un mero paréntesis. Una tarde, una tarde igual a otras tardes, a las miles de tardes anteriores, Wakefield mira su casa.

Por los cristales ve que en el primer piso han encendido el fuego; en el moldeado cielo raso las llamas lanzan grotescamente la sombra de la señora Wakefield. Rompe a llover; Wakefield siente una racha de frío. Le parece ridículo mojarse cuando ahí tiene su casa, su hogar. Sube pesadamente la escalera y abre la puerta. En su rostro juega, espectral, la taimada sonrisa que conocemos. Wakefield ha vuelto, al fin. Hawthorne no nos refiere su destino ulterior, pero nos deja adivinar que ya estaba, en cierto modo, muerto. Copio las palabras finales: "En el desorden aparente de nuestro misterioso mundo, cada hombre está ajustado a un sistema con tan exquisito rigor —y los sistemas entre sí, y todos a todo— que el individuo que se desvía un solo momento corre el terrible albur de perder para siempre su lugar. Corre el albur de ser, como Wakefield, el Paria del Universo."

En esta breve y ominosa parábola —que data de 1835— ya estamos en el mundo de Herman Melville, en el mundo de Kafka. Un mundo de castigos enigmáticos y de culpas indescifrables. Se dirá que ello nada tiene de singular, pues el orbe de Kafka es el judaísmo, y el de Hawthorne, las iras y los castigos del Viejo Testamento. La observación es justa, pero su alcance no rebasa la ética, y entre la horrible historia de Wakefield y muchas historias de Kafka, no sólo hay una ética común sino una retórica. Hay, por ejemplo, la honda *trivialidad* del protagonista, que contrasta con la magnitud de su perdición y que lo entrega, aún más desvalido, a las Furias. Hay el fondo borroso, contra el cual se recorta la pesadilla. Hawthorne, en otras narraciones, invoca un pasado romántico; en ésta se imita a un Londres burgués, cuyas multitudes le sirven, por lo demás, para ocultar al héroe.

Aquí, sin desmedro alguno de Hawthorne, yo desearía intercalar una observación. La circunstancia, la extraña circunstancia, de percibir en un cuento de Hawthorne, redactado a principios del siglo XIX, el sabor mismo de los cuentos de Kafka que trabajó a principios

182

del siglo xx, no debe hacernos olvidar que el sabor de Kafka ha sido creado, ha sido determinado, por Kafka. *Wakefield* prefigura a Franz Kafka, pero éste modifica, y afina, la lectura de *Wakefield*. La deuda es mutua; un gran escritor crea sus precursores. Los crea y de algún modo los justifica. Así, ¿qué sería de Marlowe sin Shakespeare?

El traductor y crítico Malcolm Cowley ve en *Wakefield* una alegoría de la curiosa reclusión de Nathaniel Hawthorne. Schopenhauer ha escrito, famosamente, que no hay acto, que no hay pensamiento, que no hay enfermedad que no sean voluntarios; si hay verdad en esa opinión, cabría conjeturar que Nathaniel Hawthorne se apartó muchos años de la sociedad de los hombres para que no faltara en el universo, cuyo fin es acaso la variedad, la singular historia de Wakefield. Si Kafka hubiera escrito esa historia, Wakefield no hubiera conseguido, jamás, volver a su casa; Hawthorne le permite volver, pero su vuelta no es menos lamentable ni menos atroz que su larga ausencia.

Una parábola de Hawthorne, que estuvo a punto de ser magistral y que no lo es, pues la ha dañado la preocupación de la ética, es la que se titula *Earth's holocaust*: el Holocausto de la Tierra. En esa ficción alegórica, Hawthorne prevé un momento en que los hombres, hartos de acumulaciones inútiles, resuelven destruir el pasado. En el atardecer se congregan, para ese fin, en uno de los vastos territorios del oeste de América. A esa llanura occidental llegan hombres de todos los confines del mundo. En el centro hacen una altísima hoguera que alimentan con todas las genealogías, con todos los diplomas, con todas las medallas, con todas las órdenes, con todas las ejecutorias, con todos los escudos, con todas las coronas, con todos los cerros, con todas las tiaras, con todas las púrpuras, con todos los doseles, con todos los tronos, con todos los alcoholes, con todas las bolsas de café, con todos los cajones de té, con todos los cigarros, con todas las cartas de amor, con toda la artillería, con todas las espadas, con todas las banderas, con todos los tambores marciales, con todos los instrumentos de tortura, con todas las guillotinas, con todas las horcas, con todos los metales preciosos, con todo el dinero, con todos los títulos de propiedad, con todas las constituciones y códigos, con todos los libros, con todas las mitras, con todas las dalmáticas, con todas las sagradas escrituras que hoy pueblan y fatigan la Tierra. Hawthorne ve con asombro la combustión y con algún escándalo; un hombre de aire pensativo le dice que no debe alegrarse ni entristecerse, pues la vasta pirámide de fuego no ha consumido sino lo que era consumible en las cosas. Otro espectador —el demonio— observa que los empresarios del holocausto se han olvidado de arrojar lo esencial, el corazón humano, donde está la raíz de todo pecado, y que sólo han destruido unas cuantas formas. Hawthorne concluye así: "El corazón, el corazón, ésa es la breve esfera ilimitada en la que radica la culpa de la que apenas son unos símbolos el crimen y la miseria del mundo. Purifiquemos esa esfera interior, y las muchas formas del mal que entenebrecen este mundo visible huirán como fantasmas, porque si no rebasamos la inteligencia y procuramos, con ese instrumento imperfecto, discernir y corregir lo que nos aqueja, toda nuestra obra será un sueño. Un sueño tan insustancial que nada importa que la hoguera, que he descrito con tal fidelidad, sea lo que llamamos un hecho real y un fuego que chamusque las manos o un fuego imaginado y una parábola." Hawthorne, aquí, se ha dejado arrastrar por la doctrina cristiana, y específicamente calvinista, de la depravación ingénita de los hombres y no parece haber notado que su parábola de una ilusoria destrucción de todas las cosas es capaz de un sentido filosófico y no sólo moral. En efecto, si el mundo es el sueño de Alguien, si hay Alguien que ahora está soñándonos y que sueña la historia del universo, como es doctrina de la escuela idealista, la aniquilación de las religiones y de las artes, el incendio general de las bibliotecas, no importa mucho más que la destrucción de los muebles de un sueño. La mente que una vez los soñó volverá a soñarlos; mientras la mente siga soñando, nada se habrá perdido. La convicción de esta verdad, que parece fantástica, hizo que Schopenhauer, en su libro *Parerga und Paralipomena*, comparara la historia a un calidoscopio, en el que cambian las figuras, no los pedacitos de vidrio, y a una eterna y confusa tragicomedia en la que cambian los papeles y máscaras, pero no los actores. Esa misma intuición de que el universo es una proyección de nuestra alma y de que la historia universal está en cada hombre hizo escribir a Emerson el poema que se titula *History*.

En lo que se refiere a la fantasía de abolir el pasado, no sé si cabe recordar que ésta fue ensayada en la China, con adversa fortuna, tres siglos antes de Jesús. Escribe Herbert Allen Giles: "El ministro Li Su propuso que la historia comenzara con el nuevo monarca, que tomó el título de Primer Emperador. Para tronchar las vanas pretensiones de la antigüedad, se ordenó la confiscación y quemazón de todos los libros, salvo los que enseñaran agricultura, medicina o astrología. Quienes ocultaron sus libros, fueron marcados con un hierro candente y obligados a trabajar en la construcción de la Gran Muralla. Muchas obras valiosas perecieron; a la abnegación y al valor de oscuros o ignorados hombres de letras debe la posteridad la conservación del canon de Confucio. Tantos literatos, se dice, fueron ejecutados por desacatar las órdenes imperiales, que en invierno crecieron melones en el lugar donde los habían enterrado." En Inglaterra, al promediar el siglo XVII, ese mismo propósito resurgió, entre los puritanos, entre los antepasados de Hawthorne. "En uno de los parlamentos populares convocados por Cromwell —refiere Samuel Johnson— se propuso muy seriamente que se quemaran los archivos de la Torre de Londres, que se borrara toda memoria de las cosas pretéritas y que todo el régimen de la vida recomenzara." Es decir, el propósito de abolir el pasado ya ocurrió en el pasado y —paradójicamente— es una de las pruebas de que el pasado no se puede abolir. El pasado es indestructible; tarde o temprano vuelven todas las cosas, y una de las cosas que vuelven es el proyecto de abolir el pasado.

Como Stevenson, también hijo de puritanos, Hawthorne no dejó de sentir nunca que la tarea de escritor era frívola o, lo que es peor, culpable. En el prólogo de la *Letra escarlata,* imagina a las sombras de sus mayores mirándolo escribir su novela. El pasaje es curioso. *"¿Qué estará haciendo?* —dice una antigua sombra a las otras—. *¡Está escribiendo un libro de cuentos! ¿Qué oficio será ése, qué manera de glorificar a Dios o de ser útil a los hombres, en su día y generación? Tanto le valdría a ese descastado ser violinista."* El pasaje es curioso, porque encierra una suerte de confidencia y corresponde a escrúpulos íntimos. Corresponde también al antiguo pleito de la ética y de la estética o, si se quiere, de la teología y la estética. Uno de sus primeros testimonios consta en la Sagrada Escritura y prohibe a los hombres que adoren ídolos. Otro es el de Platón, que en el décimo libro de la *República* razona de este modo: "Dios crea el Arquetipo [la idea original] de la mesa; el carpintero, un simulacro." Otro es el de Mahoma, que declaró que toda representación de una cosa viva comparecerá ante el Señor, el día del Juicio Final. Los ángeles ordenarán al artífice que la anime; éste fracasará y lo arrojarán al Infierno, durante cierto tiempo. Algunos doctores musulmanes pretenden que sólo están vedadas las imágenes capaces de proyectar una sombra (las esculturas)... De Plotino se cuenta que estaba casi avergonzado de habitar en un cuerpo y que no permitió a los escultores la perpetuación de sus rasgos. Un amigo le rogaba una vez que se dejara retratar; Plotino le dijo: "Bastante me fatiga tener que arrastrar este simulacro en que la naturaleza me ha encarcelado. ¿Consentiré además que se perpetúe la imagen de esta imagen?"

Nathaniel Hawthorne desató esa dificultad (que no es ilusoria) de la manera que sabemos; compuso moralidades y fábulas; hizo o procuró hacer del arte una función de la conciencia. Así, para concretarnos a un solo

186

ejemplo, la novela *The house of the seven gables* (*La casa de los siete tejados*) quiere mostrar que el mal cometido por una generación perdura y se prolonga en las subsiguientes, como una suerte de castigo heredado. Andrew Lang ha confrontado esa novela con las de Emilio Zola, o con la teoría de las novelas de Emilio Zola; salvo un asombro momentáneo, no sé qué utilidad puede rendir la aproximación de esos nombres heterogéneos. Que Hawthorne persiguiera, o tolerara, propósitos de tipo moral no invalida, no puede invalidar, su obra. En el decurso de una vida consagrada menos a vivir que a leer, he verificado muchas veces que los propósitos y teorías literarias no son otra cosa que estímulos y que la obra final suele ignorarlos y hasta contradecirlos. Si en el autor hay algo, ningún propósito, por baladí o erróneo que sea, podrá afectar, de un modo irreparable, su obra. Un autor puede adolecer de prejuicios absurdos, pero su obra, si es genuina, si responde a una genuina visión, no podrá ser absurda. Hacia 1916, los novelistas de Inglaterra y de Francia creían (o creían que creían) que todos los alemanes eran demonios; en sus novelas, sin embargo, los presentaban como seres humanos. En Hawthorne, siempre la visión germinal era verdadera; lo falso, lo eventualmente falso, son las moralidades que agregaba en el último párrafo a los personajes que ideaba, que armaba, para representarla. Los personajes de la *Letra escarlata* —especialmente Hester Prynne, la heroína— son más independientes, más autónomos, que los de otras ficciones suyas; suelen asemejarse a los habitantes de la mayoría de las novelas y no son meras proyecciones de Hawthorne, ligeramente disfrazadas. Esta objetividad, esta relativa y parcial objetividad, es quizá la razón de que dos escritores tan agudos (y tan disímiles) como Henry James y Ludwig Lewisohn, juzguen que la *Letra escarlata* es la obra maestra de Hawthorne, su testimonio imprescindible. Yo me aventuro a diferir de esas autoridades. Quien anhele objetividad, quien tenga hambre y sed de objetividad, búsquela en Joseph Conrad o en Tolstoi; quien busque el peculiar sabor de Nathaniel

Hawthorne, lo hallará menos en sus laboriosas novelas que en alguna página lateral o que en los leves y patéticos cuentos. No sé muy bien cómo razonar mi desvío; en las tres novelas americanas y en el *Fauno de mármol* sólo veo una serie de situaciones, urdidas con destreza profesional para conmover al lector, no una espontánea y viva actividad de la imaginación. Ésta (lo repito) ha obrado el argumento general y las digresiones, no la trabazón de los episodios y la psicología —de algún modo tenemos que llamarla— de los actores.

Johnson observa que a ningún escritor le gusta deber algo a sus contemporáneos; Hawthorne los ignoró en lo posible. Quizá obró bien; quizá nuestros contemporáneos —siempre— se parecen demasiado a nosotros, y quien busca novedades las hallará con más facilidad en los antiguos. Hawthorne, según sus biógrafos, no leyó a De Quincey, no leyó a Keats, no leyó a Victor Hugo —que tampoco se leyeron entre ellos. Groussac no toleraba que un americano pudiera ser original; en Hawthorne denunció "la notable influencia de Hoffmann"; dictamen que parece fundado en una equitativa ignorancia de ambos autores. La imaginación de Hawthorne es romántica; su estilo, a pesar de algunos excesos, corresponde al siglo XVIII, al débil fin del admirable siglo XVIII.

He leído varios fragmentos del diario que Hawthorne escribió para distraer su larga soledad; he referido, siquiera brevemente, dos cuentos; ahora leeré una página del *Marble faun* para que ustedes oigan a Hawthorne. El tema es aquel pozo o abismo que se abrió, según los historiadores latinos, en el centro del Foro y en cuya ciega hondura un romano se arrojó, armado y a caballo, para propiciar a los dioses. Reza el texto de Hawthorne:

"Resolvamos —dijo Kenyon— que éste es precisamente el lugar donde la caverna se abrió, en la que el héroe se lanzó con su buen caballo. Imaginemos el enorme y oscuro hueco, impenetrablemente hondo, con vagos monstruos y con caras atroces mirando desde abajo y llenando de horror a los ciudadanos que se habían asomado a los bordes. Adentro había, a no dudarlo, visiones proféticas (intimaciones de todos los infortunios de Roma), sombras de galos y de vándalos y de los soldados franceses. ¡Qué lástima que lo cerraron tan pronto! Yo daría cualquier cosa por un vistazo.

"Yo creo —dijo Miriam— que no hay persona que no eche una mirada a esa grieta, en momentos de sombra y de abatimiento, es decir, de intuición.

"Esa grieta —dijo su amigo— era sólo una boca del abismo de oscuridad que está debajo de nosotros, en todas partes. La sustancia más firme de la felicidad de los hombres es una lámina interpuesta sobre ese abismo y que mantiene nuestro mundo ilusorio. No se requiere un terremoto para romperla; basta apoyar el pie. Hay que pisar con mucho cuidado. Inevitablemente, al fin nos hundimos. Fue un tonto alarde de heroísmo el de Curcio cuando se adelantó a arrojarse a la hondura, pues Roma entera, como ven, ha caído adentro. El Palacio de los Césares ha caído, con un ruido de piedras que se derrumba. Todos los templos han caído, y luego han arrojado miles de estatuas. Todos los ejércitos y los triunfos han caído, marchando, en esa caverna, y tocaban la música marcial mientras se despeñaban. . ."

Hasta aquí, Hawthorne. Desde el punto de vista de la razón (de la mera razón que no debe entrometerse en las artes) el ferviente pasaje que he traducido es indefendible. La grieta que se abrió en la mitad del foro es demasiadas cosas. En el curso de un solo párrafo es la grieta de que hablan los historiadores latinos y también es la boca del Infierno "con vagos monstruos y con caras atroces", y también es el horror esencial de la vida humana, y también es el Tiempo, que devora estatuas y ejércitos, y también es la Eternidad, que encierra los tiempos. Es un símbolo múltiple, un símbolo capaz de muchos valores, acaso incompatibles. Para la razón, para el entendimiento lógico, esta variedad de valores puede constituir un escándalo, no así para los sueños que tienen su álgebra singular y secreta, y en cuyo ambiguo territorio una cosa puede ser muchas. Ese mundo de sueños es el de Hawthorne. Éste se propuso una vez escribir un sueño, "que fuera como un sueño verdadero, y que tuviera la incoherencia, las rarezas y la falta de propósito de los sueños" y se maravilló de que nadie, hasta el día de hoy, hubiera ejecutado algo semejante. En el mismo diario en que dejó escrito ese extraño proyecto —que toda nuestra literatura "moderna" trata vanamente de ejecutar, y que, tal vez, sólo ha realizado Lewis Carroll— anotó miles de impresiones triviales, de pequeños rasgos concretos (el movimiento de una gallina, la sombra de una rama en la pared) que abarcan seis volúmenes, cuya inexplicable abundancia es la consternación de todos los biógrafos. "Parecen cartas agradables e inútiles —escribe con perplejidad Henry James— que se dirigiera a sí mismo un hombre que abrigara el temor de que las abrieran en el correo y que hubiera resuelto no decir nada comprometedor." Yo tengo para mí que Nathaniel Hawthorne registraba, a lo largo de los años, esas trivialidades para demostrarse a sí mismo que él era real, para liberarse, de algún modo, de la impresión de irrealidad, de fantasmidad, que solía visitarlo.

En uno de los días de 1840 escribió: "Aquí estoy en mi cuarto habitual, donde me parece estar siempre. Aquí he concluido muchos cuentos, muchos que después he quemado, muchos que sin duda merecen ese ardiente destino. Ésta es una pieza embrujada, porque miles y miles de visiones han poblado su ámbito, y algunas ahora son visibles al mundo. A veces creía estar en la sepultura, helado y detenido y entumecido; otras, creía ser feliz... Ahora empiezo a comprender por qué fui prisionero tantos años en este cuarto solitario y por qué no pude romper sus rejas invisibles. Si antes hubiera conseguido evadirme, ahora sería duro y áspero y tendría el corazón cubierto de polvo terrenal... En verdad, sólo somos sombras..." En las líneas que acabo de trascribir, Hawthorne menciona "miles y miles de visiones". La cifra no es acaso una hipérbole; los doce tomos de las obras completas de Hawthorne incluyen ciento y tantos cuentos, y éstos son unos pocos de los muchísimos que abocetó en su diario. (Entre los concluidos hay uno —*M. Higginbotham's catastrophe* [La muerte repetida]— que prefigura el género policial que inventaría Poe.) Miss Margaret Fuller, que lo trató en la comunidad utópica de Brook Farm, escribió después: "De aquel océano sólo nos quedan unas gotas", y Emerson, que también era amigo suyo, creía que Hawthorne no había dado jamás toda su medida. Hawthorne se casó en 1842, es decir, a los treinta y ocho años; su vida, hasta esa fecha, fue casi puramente imaginativa, mental. Trabajó en la aduana de Boston, fue cónsul de Estados Unidos en Liverpool, vivió en Florencia, en Roma y en Londres, pero su realidad fue, siempre, el tenue mundo crepuscular, o lunar, de las imaginaciones fantásticas.

En el principio de esta clase he mencionado la doctrina del psicólogo Jung que equipara las invenciones literarias a las invenciones oníricas, la literatura a los sueños. Esta doctrina no parece aplicable a las literaturas que usan el idioma español, clientes del diccionario y de la retórica, no de la fantasía. En cambio, es adecuada a las letras de América del Norte. Éstas (como las de Inglaterra o las de Alemania) son más capaces de inventar que de trascribir, de crear que de observar. De ese rasgo procede la curiosa veneración que tributan los norteamericanos a las obras realistas y que los mueve a postular, por ejemplo, que Maupassant es más importante que Hugo. La razón es que un escritor norteamericano tiene la posibilidad de ser Hugo; no, sin violencia, la de ser Maupassant. Comparada con la de Estados Unidos, que ha dado varios hombres de genio, que ha influido en Inglaterra y en Francia, nuestra literatura argentina corre el albur de parecer un tanto provincial; sin embargo, en el siglo XIX, produjo algunas páginas de realismo —algunas admirables crueldades de Echeverría, de Ascasubi, de Hernández, del ignorado Eduardo Gutiérrez— que los norteamericanos no han superado (tal vez no han igualado) hasta ahora. Faulkner, se objetará, no es menos brutal que nuestros gauchescos. Lo es, ya lo sé, pero de un modo alucinatorio. De un modo infernal, no terrestre. Del modo de los sueños, del modo inaugurado por Hawthorne.

Éste murió el dieciocho de mayo de 1864, en las montañas de New Hampshire. Su muerte fue tranquila y fue misteriosa, pues ocurrió en el sueño. Nada nos veda imaginar que murió soñando y hasta podemos inventar la historia que soñaba —la última de una serie infinita— y de qué manera la coronó o la borró la muerte. Algún día, acaso, la escribiré y trataré de rescatar con un cuento aceptable esta deficiente y harto digresiva lección.

Muerto Hawthorne, los demás escritores heredaron su tarea de soñar. En la próxima clase estudiaremos, si lo tolera la indulgencia de ustedes, la gloria y los tormentos de Poe, en quien el sueño se exaltó a pesadilla.

LA MURALLA Y LOS LIBROS

*He, whose long wall the wand'ring
bounds...*

DUNCIAD, II, 76.

Leí, días pasados, que el hombre que ordenó la edificación de la casi infinita muralla china fue aquel primer Emperador, Shih Huang Ti, que asimismo dispuso que se quemaran todos los libros anteriores a él. Que las dos vastas operaciones —las quinientas a seiscientas leguas de piedra opuestas a los bárbaros, la rigurosa abolición de la historia, es decir del pasado— procedieran de una persona y fueran de algún modo sus atributos, inexplicablemente me satisfizo y, a la vez, me inquietó. Indagar las razones de esa emoción es el fin de esta nota.

Históricamente, no hay misterio en las dos medidas. Contemporáneo de las guerras de Aníbal, Shih Huang Ti, rey de Tsin, redujo a su poder los Seis Reinos y borró el sistema feudal; erigió la muralla, porque las murallas eran defensas; quemó los libros, porque la oposición los invocaba para alabar a los antiguos emperadores. Quemar libros y erigir fortificaciones es tarea común de los príncipes; lo único singular en Shih Huang Ti fue la escala en que obró. Así lo dejan entender algunos sinólogos, pero yo siento que los hechos que he referido son algo más que una exageración o una hipérbole de disposiciones triviales. Cercar un huerto o un jardín es común; no, cercar un imperio. Tampoco es baladí pretender que la más tradicional de las razas renuncie a la memoria de su pasado, mítico o verdadero. Tres mil años de cronología tenían los chinos (y en esos años, el Emperador Amarillo y Chuang Tzu y Confucio y Lao Tzu), cuando Shih Huang Ti ordenó que la historia empezara con él.

Shih Haung Ti había desterrado a su madre por li-

...ina; en su dura justicia, los ortodoxos no vieron otra ...sa que una impiedad; Shih Huang Ti, tal vez, quiso borrar los libros canónicos porque éstos lo acusaban; Shih Huang Ti, tal vez, quiso abolir todo el pasado para abolir un solo recuerdo: la infamia de su madre. (No de otra suerte un rey, en Judea, hizo matar a todos los niños para matar a uno.) Esta conjetura es atendible, pero nada nos dice de la muralla, de la segunda cara del mito. Shih Huang Ti, según los historiadores, prohibió que se mencionara la muerte y buscó el elixir de la inmortalidad y se recluyó en un palacio figurativo, que constaba de tantas habitaciones como hay días en el año; estos datos sugieren que la muralla en el espacio y el incendio en el tiempo fueron barreras mágicas destinadas a detener la muerte. Todas las cosas quieren persistir en su ser, ha escrito Baruch Spinoza; quizá el Emperador y sus magos creyeron que la inmortalidad es intrínseca y que la corrupción no puede entrar en un orbe cerrado. Quizá el Emperador quiso recrear el principio del tiempo y se llamó Primero, para ser realmente primero, y se llamó Huang Ti, para ser de algún modo Huang Ti, el legendario emperador que inventó la escritura y la brújula. Éste, según el Libro de los Ritos, dio su nombre verdadero a las cosas; parejamente Shih Huang Ti se jactó, en inscripciones que perduran, de que todas las cosas, bajo su imperio, tuvieran el nombre que les conviene. Soñó fundar una dinastía inmortal; ordenó que sus herederos se llamaran Segundo Emperador, Tercer Emperador, Cuarto Emperador, y así hasta lo infinito... He hablado de un propósito mágico; también cabría suponer que erigir la muralla y quemar los libros no fueron actos simultáneos. Esto (según el orden que eligiéramos) nos daría la imagen de un rey que empezó por destruir y luego se resignó a conservar, o la de un rey desengañado que destruyó lo que antes defendía. Ambas conjeturas son dramáticas, pero carecen, que yo sepa, de base histórica. Herbert Allen Giles cuenta que quienes ocultaron libros fueron marcados con un hierro candente y condenados a construir, hasta

el día de su muerte, la desaforada muralla. Esta[...]
favorece o tolera otra interpretación. Acaso la[...]
fue una metáfora, acaso Shih Huang Ti cond[...]
quienes adoraban el pasado a una obra tan vasta como
el pasado, tan torpe y tan inútil. Acaso la muralla fue
un desafío y Shih Huang Ti pensó: "Los hombres aman
el pasado y contra ese amor nada puedo, ni pueden mis
verdugos, pero alguna vez habrá un hombre que sienta
como yo, y ése destruirá mi muralla, como yo he destruido los libros, y ése borrará mi memoria y será mi
sombra y mi espejo y no lo sabrá." Acaso Shih Huang
Ti amuralló el imperio porque sabía que éste era deleznable y destruyó los libros por entender que eran libros
sagrados, o sea libros que enseñan lo que enseña el universo entero o la conciencia de cada hombre. Acaso el
incendio de las bibliotecas y la edificación de la muralla
son operaciones que de un modo secreto se anulan.

La muralla tenaz que en este momento, y en todos,
proyecta sobre tierras que no veré su sistema de sombras, es la sombra de un César que ordenó que la más
reverente de las naciones quemara su pasado; es verosímil que la idea nos toque de por sí, fuera de las conjeturas que permite. (Su virtud puede estar en la oposición de construir y destruir, en enorme escala.) Gene-
ralizando el caso anterior, podríamos inferir que *todas*
las formas tienen su virtud en sí mismas y no en un
"contenido" conjetural. Esto concordaría con la tesis
de Benedetto Croce; ya Pater, en 1877, afirmó que todas las artes aspiran a la condición de la música, que
no es otra cosa que forma. La música, los estados de
felicidad, la mitología, las caras trabajadas por el tiempo, ciertos crepúsculos y ciertos lugares, quieren decir-
nos algo, o algo dijeron que no hubiéramos debido perder, o están por decir algo; esta inminencia de una revelación, que no se produce, es, quizá, el hecho estético.

Buenos Aires, 1950

Mencionar el nombre de Wilde es mencionar a un *dandy* que fuera también un poeta, es evocar la imagen de un caballero dedicado al pobre propósito de asombrar con corbatas y con metáforas. También es evocar la noción del arte como un juego selecto o secreto —a la manera del tapiz de Hugh Vereker y del tapiz de Stefan George— y del poeta como un laborioso *monstrorum artifex* (Plinio, XXVIII, 2). Es evocar el fatigado crepúsculo del siglo XIX y esa opresiva pompa de invernáculo o de baile de máscaras. Ninguna de estas evocaciones es falsa, pero todas corresponden, lo afirmo, a verdades parciales y contradicen, o descuidan, hechos notorios.

Consideremos, por ejemplo, la noción de que Wilde fue una especie de simbolista. Un cúmulo de circunstancias la apoya: Wilde, hasta 1881, dirigió a los estetas y diez años después a los decadentes; Rebeca West pérfidamente lo acusa (*Henry James,* III) de imponer a la última de estas sectas "el sello de la clase media"; el vocabulario del poema *The Sphinx* es estudiosamente magnífico; Wilde fue amigo de Schwob y de Mallarmé. La refuta un hecho capital: en verso o en prosa, la sintaxis de Wilde es siempre simplísima. De los muchos escritores británicos, ninguno es tan accesible a los extranjeros. Lectores incapaces de descifrar un párrafo de Kipling o una estrofa de William Morris empiezan y concluyen la misma tarde *Lady Windermere's Fan.* La métrica de Wilde es espontánea o quiere parecer espontánea; su obra no encierra un solo verso experimental, como este duro y sabio alejandrino de Lionel Johnson: *Alone with Christ, desolate else, left by mankind.*

La insignificancia *técnica* de Wilde puede ser un argumento a favor de su grandeza intrínseca. Si la obra de Wilde correspondiera a la índole de su fama, la integrarían meros artificios del tipo de *Les Palais Nomades* o de *Los Crepúsculos del Jardín*. En la obra de Wilde esos artificios abundan —recordemos el undécimo capítulo de *Dorian Gray* o *The Harlot's House* o *Symphony in Yellow*— pero su índole adjetiva es notoria. Wilde puede prescindir de esos *purple patches* (retazos de púrpura); frase cuya invención le atribuyen Ricketts y Hesketh Pearson, pero que ya registra el exordio de la epístola a los Pisones. Esa atribución prueba el hábito de vincular al nombre de Wilde la noción de pasajes decorativos.

Leyendo y releyendo, a lo largo de los años, a Wilde, noto un hecho que sus panegiristas no parecen haber sospechado siquiera: el hecho comprobable y elemental de que Wilde, casi siempre, tiene razón. *The Soul of Man under Socialism* no sólo es elocuente; también es justo. Las notas misceláneas que prodigó en la *Pall Mall Gazette* y en el *Speaker* abundan en perspicuas observaciones que exceden las mejores posibilidades de Leslie Stephen o de Saintsbury. Wilde ha sido acusado de ejercer una suerte de arte combinatoria, a lo Raimundo Lulio; ello es aplicable, tal vez, a algunas de sus bromas ("uno de esos rostros británicos que, vistos una vez, siempre se olvidan"), pero no al dictamen de que la música nos revela un pasado desconocido y acaso real (*The Critic as Artist*) o aquel de que todos los hombres matan la cosa que aman (*The Ballad of Reading Gaol*) o a aquel otro de que arrepentirse de un acto es modificar el pasado (*De Profundis*) o a aquel,[1] no indigno de Léon Bloy o de Swedenborg, de que no hay hombre que no sea, en cada momento, lo que ha sido y lo que será (*ibidem*). No trascribo estas líneas para veneración del lector; las alego como indicio de una men-

[1] Cf. la curiosa tesis de Leibniz, que tanto escándalo produjo en Arnauld: *La noción de cada individuo encierra a priori todos los hechos que a éste le ocurrirán*. Según ese fatalismo dialéctico, el hecho de que Alejandro el Grande moriría en Babilonia es una cualidad de ese rey, como la soberbia.

talidad muy diversa de la que, en general, se atribuye a Wilde. Éste, si no me engaño, fue mucho más que un Moréas irlandés; fue un hombre del siglo XVIII, que alguna vez condescendió a los juegos del simbolismo. Como Gibbon, como Johnson, como Voltaire, fue un ingenioso que tenía razón además. Fue, "para de una vez decir palabras fatales, clásico en suma".[2] Dio al siglo lo que el siglo exigía —*comédies larmoyantes* para los más y arabescos verbales para los menos— y ejecutó esas cosas disímiles con una suerte de negligente felicidad. Lo ha perjudicado la perfección; su obra es tan armoniosa que puede parecer inevitable y aun baladí. Nos cuesta imaginar el universo sin los epigramas de Wilde; esa dificultad no los hace menos plausibles.

Una observación lateral. El nombre de Oscar Wilde está vinculado a las ciudades de la llanura; su gloria, a la condena y la cárcel. Sin embargo (esto lo ha sentido muy bien Hesketh Pearson) el sabor fundamental de su obra es la felicidad. En cambio, la valerosa obra de Chesterton, prototipo de la sanidad física y moral, siempre está a punto de convertirse en una pesadilla. La acechan lo diabólico y el horror; puede asumir, en la página más inocua, las formas del espanto. Chesterton es un hombre que quiere recuperar la niñez; Wilde, un hombre que guarda, pese a los hábitos del mal y de la desdicha, una invulnerable inocencia.

Como Chesterton, como Lang, como Boswell, Wilde es de aquellos venturosos que pueden prescindir de la aprobación de la crítica y aun, a veces, de la aprobación del lector, pues el agrado que nos proporciona su trato es irresistible y constante.

1946

[2] La sentencia es de Reyes, que la aplica al hombre mejicano (*Reloj de Sol,* p. 158).

SOBRE CHESTERTON

> *Because He does not take away*
> *The terror from the tree...*
>
> CHESTERTON: *A Second Childhood.*

Edgar Allan Poe escribió cuentos de puro horror fantástico o de pura *bizarrerie*; Edgar Allan Poe fue inventor del cuento policial. Ello no es menos indudable que el hecho de que no combinó los dos géneros. No impuso al caballero Auguste Dupin la tarea de fijar el antiguo crimen del Hombre de las Multitudes o de explicar el simulacro que fulminó, en la cámara negra y escarlata, al enmascarado príncipe Próspero. En cambio, Chesterton prodigó con pasión y felicidad esos *tours de force*. Cada una de las piezas de la saga del Padre Brown presenta un misterio, propone explicaciones de tipo demoniaco o mágico y las reemplaza, al fin, con otras que son de este mundo. La maestría no agota la virtud de esas breves ficciones; en ellas creo percibir una cifra de la historia de Chesterton, un símbolo o espejo de Chesterton. La repetición de su esquema a través de los años y de los libros (*The man who knew too much, The poet and the lunatics, The paradoxes of Mr. Pond*) parece confirmar que se trata de una forma esencial, no de un artificio retórico. Estos apuntes quieren interpretar esa forma.

Antes, conviene reconsiderar unos hechos de excesiva notoriedad. Chesterton fue católico, Chesterton creyó en la Edad Media de los prerrafaelistas (*Of London, small and white, and clean*), Chesterton pensó, como Whitman, que el mero hecho de ser es tan prodigioso que ninguna desventura debe eximirnos de una suerte de cósmica gratitud. Tales creencias pueden ser justas, pero el interés que promueven es limitado; suponer que agotan a Chesterton es olvidar que un credo es el último término de una serie de procesos mentales y emocionales y que un hombre es toda la serie. En este país, los católicos exaltan a Chesterton, los librepensadores lo niegan. Como todo escritor que profesa un credo, Chesterton es juzgado por él, es reprobado o aclamado por él. Su caso es parecido al de Kipling, a quien siempre lo juzgan en función del Imperio Británico.

Poe y Baudelaire se propusieron, como el atormentado Urizen de Blake, la creación de un mundo de espanto; es natural que su obra sea pródiga de formas del horror. Chesterton, me parece, no hubiera tolerado la imputación de ser un tejedor de pesadillas, un *monstrorum artifex* (Plinio, XXVIII, 2), pero invenciblemente suele incurrir en atisbos atroces. Pregunta si acaso un hombre tiene tres ojos, o un pájaro tres alas; habla, contra los panteístas, de un muerto que descubre en el paraíso que los espíritus de los coros angélicos tienen sin fin su misma cara,[1] habla de una cárcel de espejos; habla de un laberinto sin centro; habla de un hombre devorado por autómatas de metal; habla de un árbol que devora a los pájaros y que en lugar de hojas da plumas; imagina (*The man who was Thursday,* VI) que en los confines orientales del mundo acaso existe un árbol que ya es más, y menos, que un árbol, y en los occidentales, algo, una torre, cuya sola arquitectura es malvada. Define lo cercano por lo lejano, y aun por lo atroz; si habla de sus ojos, los llama con palabras de Ezequiel (1:22) *un terrible cristal,* si de la noche, perfecciona un antiguo horror (Apocalipsis, IV:6) y la llama *un monstruo hecho de ojos.* No menos ilustrativa es la narración *How I found the Superman.* Chesterton

---

[1] Amplificando un pensamiento de Attar ("En todas partes sólo vemos Tu cara"), Jalal-uddin Rumi compuso unos versos que ha traducido Rückert (*Werke,* IV, 222), donde se dice que en los cielos, en el mar y en los sueños hay Uno Solo y donde se alaba a ese Único por haber reducido a unidad los cuatro briosos animales que tiran del carro de los mundos: la tierra, el fuego, el aire y el agua.

habla con los padres del Superhombre; interrogados sobre la hermosura del hijo, que no sale de un cuarto oscuro, éstos le recuerdan que el Superhombre crea su propio canon y debe ser medido por él ("En ese plano es más bello que Apolo. Desde nuestro plano inferior, por supuesto..."); después admiten que no es fácil estrecharle la mano ("Usted comprende; la estructura es muy otra"); después, son incapaces de precisar si tiene pelo o plumas. Una corriente de aire lo mata y unos hombres retiran un ataúd que no es de forma humana. Chesterton refiere en tono de burla esa fantasía teratológica.

Tales ejemplos, que sería fácil multiplicar, prueban que Chesterton se defendió de ser Edgar Allan Poe o Franz Kafka, pero que algo en el barro de su yo propendía a la pesadilla, algo secreto, y ciego y central. No en vano dedicó sus primeras obras a la justificación de dos grandes artífices góticos, Browning y Dickens; no en vano repitió que el mejor libro salido de Alemania era el de los cuentos de Grimm. Denigró a Ibsen y defendió (acaso indefendiblemente) a Rostand, pero los Trolls y el Fundidor de *Peer Gynt* eran de la madera de sus sueños, *the stuff his dreams were made of.* Esa discordia, esa precaria sujeción de una voluntad demoniaca, definen la naturaleza de Chesterton. Emblemas de esa guerra son para mí las aventuras del Padre Brown, cada una de las cuales quiere explicar, mediante la sola razón, un hecho inexplicable.[2] Por eso dije, en el párrafo inicial de esta nota, que esas ficciones eran cifras de la historia de Chesterton, símbolos y espejos de Chesterton. Eso es todo, salvo que la "razón" a la que Chesterton supeditó sus imaginaciones no era precisamente la razón sino la fe católica o sea un conjunto de imaginaciones hebreas supeditadas a Platón y a Aristóteles.

Recuerdo dos parábolas que se oponen. La primera

[2] No la explicación de lo inexplicable sino de lo confuso es la tarea que se imponen, por lo común, los novelistas policiales.

consta en el primer tomo de las obras de Kafka. Es la historia del hombre que pide ser admitido a la ley. El guardián de la primera puerta le dice que adentro hay muchas otras [3] y que no hay sala que no esté custodiada por un guardián, cada uno más fuerte que el anterior. El hombre se sienta a esperar. Pasan los días y los años, y el hombre muere. En la agonía pregunta: "¿Será posible que en los años que espero nadie haya querido entrar sino yo?" El guardián le responde: "Nadie ha querido entrar porque a ti sólo estaba destinada esta puerta. Ahora voy a cerrarla." (Kafka comenta esta parábola, complicándola aún más, en el noveno capítulo de *El proceso*.) La otra parábola está en el *Pilgrim's Progress,* de Bunyan. La gente mira codiciosa un castillo que custodian muchos guerreros; en la puerta hay un guardián con un libro para escribir el nombre de aquel que sea digno de entrar. Un hombre intrépido se allega a ese guardián y le dice: "Anote mi nombre, señor." Luego saca la espada y se arroja sobre los guerreros y recibe y devuelve heridas sangrientas, hasta abrirse camino entre el fragor y entrar en el castillo.

Chesterton dedicó su vida a escribir la segunda de las parábolas, pero algo en él propendió siempre a escribir la primera.

[3] La noción de puertas detrás de puertas, que se interponen entre el pecador y la gloria, está en el Zohar. Véase Glatzer: *In Time and Eternity,* 30; también Martin Buber: *Tales of the Hasidim,* 92.

El pensamiento de que la Sagrada Escritura tiene (además de su valor literal) un valor simbólico no es irracional y es antiguo: está en Filón de Alejandría, en los cabalistas, en Swedenborg. Como los hechos referidos por la Escritura son verdaderos (Dios es la Verdad, la Verdad no puede mentir, etcétera), debemos admitir que los hombres, al ejecutarlos, representaron ciegamente un drama secreto, determinado y premeditado por Dios. De ahí a pensar que la historia del universo —y en ella nuestras vidas y el más tenue detalle de nuestras vidas— tiene un valor inconjeturable, simbólico, no hay un trecho infinito. Muchos deben haberlo recorrido; nadie, tan asombrosamente como Léon Bloy. (En los fragmentos psicológicos de Novalis y en aquel tomo de la autobiografía de Machen que se llama *The London Adventure,* hay una hipótesis afín: la de que el mundo externo —las formas, las temperaturas, la luna— es un lenguaje que hemos olvidado los hombres, o que deletreamos apenas... También la declara De Quincey: [1] "Hasta los sonidos irracionales del globo deben ser otras tantas álgebras y lenguajes que de algún modo tienen sus llaves correspondientes, su severa gramática y su sintaxis, y así las mínimas cosas del universo pueden ser espejos secretos de las mayores.")

Un versículo de San Pablo (I Corintios, XIII: 12) inspiró a Léon Bloy. *Videmus nunc per speculum in aenigmate: tunc autem facie ad faciem. Nunc cognosco ex parte: tunc autem cognoscam sicut et cognitus sum.* Torres Amat miserablemente traduce: "Al presente no vemos a *Dios* sino como en un espejo, y bajo imágenes oscuras: pero entonces *le* veremos cara a cara. Yo no

[1] *Writings,* 1896, volumen primero, página 129.

le conozco ahora sino imperfectamente: mas entonces *le* conoceré *con una visión clara,* a la manera que soy yo conocido." 44 voces hacen el oficio de 22; imposible ser más palabrero y más lánguido. Cipriano de Valera es más fiel: " Ahora vemos por espejo, en oscuridad; mas entonces *veremos* cara a cara. Ahora conozco en parte; mas entonces conoceré como soy conocido." Torres Amat opina que el versículo se refiere a nuestra visión de la divinidad; Cipriano de Valera (y Léon Bloy) a nuestra visión general.

Que yo sepa, Bloy no imprimió a su conjetura una forma definitiva. A lo largo de su obra fragmentaria (en la que abundan, como nadie lo ignora, la quejumbre y la afrenta) hay versiones o facetas distintas. He aquí unas cuantas, que he rescatado de las páginas clamorosas de *Le mendiant ingrat,* de *Le vieux de la montagne* y de *L'invendable.* No creo haberlas agotado: espero que algún especialista en Léon Bloy (yo no lo soy) las complete y las rectifique.

La primera es de junio de 1894. La traduzco así: "La sentencia de San Pablo: *Videmus nunc per speculum in aenigmate* sería una claraboya para sumergirse en el Abismo verdadero, que es el alma del hombre. La aterradora inmensidad de los abismos del firmamento es una ilusión, un reflejo exterior de *nuestros abismos,* percibidos 'en un espejo'. Debemos invertir nuestros ojos y ejercer una astronomía sublime en el infinito de nuestros corazones, por los que Dios quiso morir... Si vemos la Vía Láctea, es porque existe *verdaderamente* en nuestra alma."

La segunda es de noviembre del mismo año. "Recuerdo una de mis ideas más antiguas. El Zar es el jefe y el padre espiritual de ciento cincuenta millones de hombres. Atroz responsabilidad que sólo es aparente. Quizá no es responsable, ante Dios, sino de unos pocos seres humanos. Si los pobres de su imperio están oprimidos durante su reinado, si de ese reinado resultan catástrofes inmensas ¿quién sabe si el sirviente encargado de lustrarle las botas no es el verdadero y solo culpable? En las disposiciones misteriosas de la Profundidad ¿quién es de veras Zar, quién es rey, quién puede jactarse de ser un mero sirviente?"

La tercera es de una carta escrita en diciembre. "Todo es símbolo, hasta el dolor más desgarrador. Somos durmientes que gritan en el sueño. No sabemos si tal cosa que nos aflige no es el principio secreto de nuestra alegría ulterior. Vemos ahora, afirma San Pablo, *p r speculum in aenigmate,* literalmente: 'en enigma por medio de un espejo' y no veremos de otro modo hasta el advenimiento de Aquel que está todo en llamas y que debe enseñarnos todas las cosas."

La cuarta es de mayo de 1904. *"Per speculum in aenigmate,* dice San Pablo. Veremos todas las cosas al revés. Cuando creemos dar, recibimos, etc. Entonces (me dice una querida alma angustiada) nosotros estamos en el cielo y Dios sufre en la tierra."

La quinta es de mayo de 1908. "Aterradora idea de Juana, acerca del texto *Per speculum.* Los goces de este mundo serían los tormentos del infierno, vistos *al revés,* en un espejo."

La sexta es de 1912. En cada una de las páginas de *L'âme de Napoléon,* libro cuyo propósito es descifrar el símbolo *Napoleón,* considerado como precursor de otro héroe —hombre y simbólico también— que está oculto en el porvenir. Básteme citar dos pasajes: Uno: "Cada hombre está en la tierra para simbolizar algo que ignora y para realizar una partícula, o una montaña, de los materiales invisibles que servirán para edificar la Ciudad de Dios." Otro: "No hay en la tierra un ser humano capaz de declarar quién es, con certidumbre. Nadie sabe qué ha venido a hacer a este mundo, a qué corresponden sus actos, sus sentimientos, sus ideas, ni cuál es su *nombre* verdadero, su imperecedero Nombre en el registro de la Luz... La historia es un inmenso texto litúrgico donde las iotas y los puntos no valen menos que los versículos o capítulos íntegros, pero la importancia de unos y otros es indeterminable y está profundamente escondida."

205

Los anteriores párrafos tal vez parecerán al lector meras gratuidades de Bloy. Que yo sepa, no se cuidó nunca de razonarlos. Yo me atrevo a juzgarlos verosímiles, y acaso inevitables dentro de la doctrina cristiana. Bloy (lo repito) no hizo otra cosa que aplicar a la Creación entera el método que los cabalistas judíos aplicaron a la Escritura. Éstos pensaron que una obra dictada por el Espíritu Santo era un texto absoluto: vale decir un texto donde la colaboración del azar es calculable en cero. Esa premisa portentosa de un libro impenetrable a la contingencia, de un libro que es un mecanismo de propósitos infinitos, les movió a permutar las palabras escriturales, a sumar el valor numérico de las letras, a tener en cuenta su forma, a observar las minúsculas y mayúsculas, a buscar acrósticos y anagramas y a otros rigores exegéticos de los que no es difícil burlarse. Su apología es que nada puede ser contingente en la obra de una inteligencia infinita.[2] Léon Bloy postula ese carácter jeroglífico —ese carácter de escritura divina, de criptografía de los ángeles— en todos los instantes y en todos los seres del mundo. El supersticioso cree penetrar esa escritura orgánica: trece comensales articulan el símbolo de la muerte; un ópalo amarillo, el de la desgracia...

Es dudoso que el mundo tenga sentido; es más dudoso aún que tenga doble y triple sentido, observará el incrédulo. Yo entiendo que así es; pero entiendo que el mundo jeroglífico postulado por Bloy es el que más conviene a la dignidad del Dios intelectual de los teólogos.

Ningún hombre sabe quién es, afirmó Léon Bloy.

---

[2] ¿Qué es una inteligencia infinita?, indagará tal vez el lector. No hay teólogo que no la defina; yo prefiero un ejemplo. Los pasos que da un hombre, desde el día de su nacimiento hasta el de su muerte, dibujan en el tiempo una inconcebible figura. La Inteligencia Divina intuye esa figura inmediatamente, como la de los hombres un triángulo. Esa figura (acaso) tiene su determinada función en la economía del universo.

Nadie como él para ilustrar esa ignorancia íntima. Se creía un católico riguroso y fue un continuador de los cabalistas, un hermoso secreto de Swedenborg y de Blake: heresiarcas.

LA ESCRITURA DEL DIOS

La cárcel es profunda y de piedra; su forma, la de un hemisferio casi perfecto, si bien el piso (que también es de piedra) es algo menor que un círculo máximo, hecho que agrava de algún modo los sentimientos de opresión y de vastedad. Un muro medianero la corta; éste, aunque altísimo, no toca la parte superior de la bóveda; de un lado estoy yo, Tzinacán, mago de la pirámide de Qaholom, que Pedro de Alvarado incendió; del otro hay un jaguar, que mide con secretos pasos iguales el tiempo y el espacio del cautiverio. A ras del suelo, una larga ventana con barrotes corta el muro central. En la hora sin sombra [el mediodía], se abre una trampa en lo alto y un carcelero, que han ido borrando los años, maniobra una roldana de hierro, y nos baja, en la punta de un cordel, cántaros con agua y trozos de carne. La luz entra en la bóveda; en ese instante puedo ver al jaguar.

He perdido la cifra de los años que yazgo en la tiniebla; yo que alguna vez era joven y podía caminar por esta prisión, no hago otra cosa que aguardar, en la postura de mi muerte, el fin que me destinan los dioses. Con el hondo cuchillo de pedernal he abierto el pecho de las víctimas y ahora no podría, sin magia, levantarme del polvo.

La víspera del incendio de la Pirámide, los hombres que bajaron de altos caballos me castigaron con metales ardientes para que revelara el lugar de un tesoro escondido. Abatieron, delante de mis ojos, el ídolo del dios, pero éste no me abandonó y me mantuve silencioso entre los tormentos. Me laceraron, me rompieron, me deformaron y luego desperté en esta cárcel, que ya no dejaré en mi vida mortal.

Urgido por la fatalidad de hacer algo, de poblar de

algún modo el tiempo, quise recordar, en mi sombra, todo lo que sabía. Noches enteras malgasté en recordar el orden y el número de unas sierpes de piedra o la forma de un árbol medicinal. Así fui debelando los años, así fui entrando en posesión de lo que ya era mío. Una noche sentí que me acercaba a un recuerdo precioso; antes de ver el mar, el viajero siente una agitación en la sangre. Horas después, empecé a avistar el recuerdo; era una de las tradiciones del dios. Éste, previendo que en el fin de los tiempos ocurrirían muchas desventuras y ruinas, escribió el primer día de la Creación una sentencia mágica apta para conjurar esos males. La escribió de manera que llegara a las más apartadas generaciones y que no la tocara el azar. Nadie sabe en qué punto la escribió ni con qué caracteres, pero nos consta que perdura, secreta, y que la leerá un elegido. Consideré que estábamos, como siempre, en el fin de los tiempos y que mi destino de último sacerdote del dios me daría acceso al privilegio de intuir esa escritura. El hecho de que me rodeara una cárcel no me vedaba esa esperanza; acaso yo había visto miles de veces la inscripción de Qaholom y sólo me faltaba entenderla.

Esta reflexión me animó y luego me infundió una especie de vértigo. En el ámbito de la tierra hay formas antiguas, formas incorruptibles y eternas; cualquiera de ellas podía ser el símbolo buscado. Una montaña podía ser la palabra del dios, o un río o el imperio o la configuración de los astros. Pero en el curso de los siglos las montañas se allanan y el camino de un río suele desviarse y los imperios conocen mutaciones y estragos y la figura de los astros varía. En el firmamento hay mudanza. La montaña y la estrella son individuos y los individuos caducan. Busqué algo más tenaz, más invulnerable. Pensé en las generaciones de los cereales, de los pastos, de los pájaros, de los hombres. Quizá en mi cara estuviera escrita la magia, quizá yo mismo fuera el fin de mi busca. En ese afán estaba cuando recordé que el jaguar era uno de los atributos del dios.

Entonces mi alma se llenó de piedad. Imaginé la

primera mañana del tiempo, imaginé a mi dios confiando el mensaje a la piel viva de los jaguares, que se amarían y se engendrarían sin fin, en cavernas, en cañaverales, en islas, para que los últimos hombres lo recibieran. Imaginé esa red de tigres, ese caliente laberinto de tigres, dando horror a los prados y a los rebaños para conservar un dibujo. En la otra celda había un jaguar; en su vecindad percibí una confirmación de mi conjetura y un secreto favor.

Dediqué largos años a aprender el orden y la configuración de las manchas. Cada ciega jornada me concedía un instante de luz, y así pude fijar en la mente las negras formas que tachaban el pelaje amarillo. Algunas incluían puntos; otras formaban rayas trasversales en la cara interior de las piernas; otras, anulares, se repetían. Acaso eran un mismo sonido o una misma palabra. Muchas tenían bordes rojos.

No diré las fatigas de mi labor. Más de una vez grité a la bóveda que era imposible descifrar aquel texto. Gradualmente, el enigma concreto que me atareaba me inquietó menos que el enigma genérico de una sentencia escrita por un dios. ¿Qué tipo de sentencia (me pregunté) construirá una mente absoluta? Consideré que aun en los lenguajes humanos no hay proposición que no implique el universo entero; decir *el tigre* es decir los tigres que lo engendraron, los ciervos y tortugas que devoró, el pasto de que se alimentaron los ciervos, la tierra que fue madre del pasto, el cielo que dio luz a la tierra. Consideré que en el lenguaje de un dios toda palabra enunciaría esa infinita concatenación de los hechos, y no de un modo implícito, sino explícito y no de un modo progresivo, sino inmediato. Con el tiempo, la noción de una sentencia divina parecióme pueril o blasfematoria. Un dios, reflexioné, sólo debe decir una palabra y en esa palabra la plenitud. Ninguna voz articulada por él puede ser inferior al universo o menos que la suma del tiempo. Sombras o simulacros de esa voz que equivale a un lenguaje y a cuanto puede comprender un lenguaje son las ambiciosas y pobres voces humanas, *todo, mundo, universo.*

Un día o una noche —entre mis días y mis noches, ¿qué diferencia cabe?— soñé que en el piso de la cárcel había un grano de arena. Volví a dormir, indiferente; soñé que despertaba y que había dos granos de arena. Volví a dormir; soñé que los granos de arena eran tres. Fueron, así, multiplicándose hasta colmar la cárcel y yo moría bajo ese hemisferio de arena. Comprendí que estaba soñando; con un vasto esfuerzo me desperté. El despertar fue inútil; la innumerable arena me sofocaba. Alguien me dijo: *No has despertado a la vigilia, sino a un sueño anterior. Ese sueño está dentro de otro, y así hasta lo infinito, que es el número de los granos de arena. El camino que habrás de desandar es interminable y morirás antes de haber despertado realmente.*

Me sentí perdido. La arena me rompía la boca, pero grité: *Ni una arena soñada puede matarme ni hay sueños que estén dentro de sueños.* Un resplandor me despertó. En la tiniebla superior se cernía un círculo de luz. Vi la cara y las manos del carcelero, la rodaja, el cordel, la carne y los cántaros.

Un hombre se confunde, gradualmente, con la forma de su destino; un hombre es, a la larga, sus circunstancias. Más que un descifrador o un vengador, más que un sacerdote del dios, yo era un encarcelado. Del incansable laberinto de sueños yo regresé como a mi casa a la dura prisión. Bendije su humedad, bendije su tigre, bendije el agujero de luz, bendije mi viejo cuerpo doliente, bendije la tiniebla y la piedra.

Entonces ocurrió lo que no puedo olvidar ni comunicar. Ocurrió la unión con la divinidad, con el universo (no sé si estas palabras difieren). El éxtasis no repite sus símbolos; hay quien ha visto a Dios en un resplandor, hay quien lo ha percibido en una espada o en los círculos de una rosa. Yo vi una Rueda altísima, que no estaba delante de mis ojos, ni detrás, ni a los lados, sino en todas partes, a un tiempo. Esa Rueda estaba hecha de agua, pero también de fuego, y era (aun-

que se veía el borde) infinita. Entretejidas, la formaban todas las cosas que serán, que son y que fueron, y
yo era una de las hebras de esa trama total, y Pedro de
Alvarado, que me dio tormento, era otra. Ahí estaban
las causas y los efectos y me bastaba ver esa Rueda para
entenderlo todo, sin fin. ¡Oh dicha de entender, mayor que la de imaginar o la de sentir! Vi el universo
y vi los íntimos designios del universo. Vi los orígenes
que narra el Libro del Común. Vi las montañas que
surgieron del agua, vi los primeros hombres de palo, vi
las tinajas que se volvieron contra los hombres, vi los
perros que les destrozaron las caras. Vi el dios sin cara
que hay detrás de los dioses. Vi infinitos procesos que
formaban una sola felicidad y, entendiéndolo todo, alcancé también a entender la escritura del tigre.

Es una fórmula de catorce palabras casuales (que parecen casuales) y me bastaría decirla en voz alta para
ser todopoderoso. Me bastaría decirla para abolir esta
cárcel de piedra, para que el día entrara en mi noche,
para ser joven, para ser inmortal, para que el tigre des-
trozara a Alvarado, para sumir el santo cuchillo en pe-
chos españoles, para reconstruir la pirámide, para reconstruir el imperio. Cuarenta sílabas, catorce palabras,
catorce palabras, y yo, Tzinacán, regiría las tierras que
rigió Moctezuma. Pero yo sé que nunca diré esas palabras, porque ya no me acuerdo de Tzinacán.

Que muera conmigo el misterio que está escrito en
los tigres. Quien ha entrevisto el universo, quien ha
entrevisto los ardientes designios del universo, no puede
pensar en un hombre, en sus triviales dichas o desventuras, aunque ese hombre sea él. Ese hombre *ha sido él*
y ahora no le importa. Qué le importa la suerte de
aquel otro, qué le importa la nación de aquel otro, si
él ahora es nadie. Por eso no pronuncio la fórmula,
por eso dejo que me olviden los días, acostado en la
oscuridad.

A Ema Risso Platero

Para todos nosotros, la alegoría es un error estético. (Mi primer propósito fue escribir "no es otra cosa que un error de la estética", pero luego noté que mi sentencia comportaba una alegoría.) Que yo sepa, el género alegórico ha sido analizado por Schopenhauer (*Welt als Wille und Vorstellung*, I, 50), por De Quincey (*Writings*, XI, 198), por Francesco de Sanctis (*Storia della letteratura italiana*, VII), por Croce (*Estetica*, 39) y por Chesterton (*G. F. Watts*, 83); en este ensayo me limitaré a los dos últimos. Croce niega el arte alegórico, Chesterton lo vindica; opino que la razón está con aquél, pero me gustaría saber cómo pudo gozar de tanto favor una forma que nos parece injustificable.

Las palabras de Croce son cristalinas; básteme repetirlas en español: "Si el símbolo es concebido como inseparable de la intuición artística, es sinónimo de la intuición misma, que siempre tiene carácter ideal. Si el símbolo es concebido separable, si por un lado puede expresarse el símbolo y por otro la cosa simbolizada, se recae en el error intelectualista; el supuesto símbolo es la exposición de un concepto abstracto, es una alegoría, es ciencia, o arte que remeda la ciencia. Pero también debemos ser justos con lo alegórico y advertir que en algunos casos éste es innocuo. De la *Jerusalén libertada* puede extraerse cualquier moralidad; del *Adonis*, de Marino, poeta de la lascivia, la reflexión de que el placer desmesurado termina en el dolor; ante una estatua, el escultor puede colocar un cartel diciendo que ésta es la Clemencia o la Bondad. Tales alegorías agregadas a una obra conclusa no la perjudican. Son expresiones que extrínsecamente se añaden a otras expresiones. A la *Jerusalén* se añade una página en prosa que expresa otro pensamiento del poeta; al *Adonis*, un verso o una estrofa que expresa lo que el poeta quiere dar a entender; a la estatua, la palabra *clemencia* o la palabra *bondad*". En la página 222 del libro *La poesía* (Bari, 1946), el tono es más hostil: "La alegoría no es un modo directo de manifestación espiritual, sino una suerte de escritura o de criptografía."

Croce no admite diferencia entre el contenido y la forma. Ésta es aquél y aquél es ésta. La alegoría le parece monstruosa porque aspira a cifrar en una forma dos contenidos: el inmediato o literal (Dante, guiado por Virgilio, llega a Beatriz), y el figurativo (el hombre finalmente llega a la fe, guiado por la razón). Juzga que esa manera de escribir comporta laboriosos enigmas.

Chesterton, para vindicar lo alegórico, empieza por negar que el lenguaje agote la expresión de la realidad. "El hombre sabe que hay en el alma tintes más desconcertantes, más innumerables y más anónimos que los colores de una selva otoñal... Cree, sin embargo, que esos tintes, en todas sus fusiones y conversiones, son representables con precisión por un mecanismo arbitrario de gruñidos y de chillidos. Cree que del interior de un bolsista salen realmente ruidos que significan todos los misterios de la memoria y todas las agonías del anhelo." Declarado insuficiente el lenguaje, hay lugar para otros; la alegoría puede ser uno de ellos, como la arquitectura o la música. Está formada de palabras, pero no es un lenguaje del lenguaje, un signo de otros signos, un laborioso y vano sinónimo.

No sé muy bien cuál de los eminentes contradictores tiene razón; sé que el arte alegórico pareció alguna vez encantador (el laberíntico *Roman de la Rose,* que perdura en doscientos manuscritos, consta de veinticuatro mil versos) y ahora es intolerable. Sentimos que, además de intolerable, es estúpido y frívolo. Ni Dante, que figuró la historia de su pasión en la *Vita nuova*; ni el romano Boecio, redactando en la torre de Pavía, a la sombra de la espada de su verdugo, el *De consolatione*, hubieran entendido ese sentimiento. ¿Cómo explicar esta discordia sin recurrir a una petición de principio sobre gustos que cambian?

Observa Coleridge que todos los hombres nacen aristotélicos o platónicos. Los últimos intuyen que las ideas son realidades; los primeros, que son generalizaciones; para éstos, el lenguaje no es otra cosa que un sistema de símbolos arbitrarios; para aquéllos, es el mapa del universo. El platónico sabe que el universo es de algún modo un cosmos, un orden; ese orden, para el aristotélico, puede ser un error o una ficción de nuestro conocimiento parcial. A través de las latitudes y de las épocas, los dos antagonistas inmortales cambian de dialecto y de nombre: uno es Parménides, Platón, Spinoza, Kant, Francis Bradley; el otro, Heráclito, Aristóteles, Lock, Hume, William James. En las arduas escuelas de la Edad Media todos invocan a Aristóteles, maestro de la humana razón (*Convivio*, IV, 2), pero los nominalistas son Aristóteles; los realistas, Platón. George Henry Lewes ha opinado que el único debate medieval que tiene algún valor filosófico es el de nominalismo y realismo; el juicio es temerario, pero destaca la importancia de esa controversia tenaz que una sentencia de Porfirio, vertida y comentada por Boecio, provocó a principios del siglo IX, que Anselmo y Roscelino mantuvieron a fines del siglo XI y que Guillermo de Occam reanimó en el siglo XIV.

Como es de suponer, tantos años multiplicaron hacia lo infinito las posiciones intermedias y los distingos; cabe, sin embargo, afirmar que para el realismo lo primordial eran los universales (Platón diría las ideas, las formas; nosotros, los conceptos abstractos), y para el nominalismo, los individuos. La historia de la filosofía no es un vano museo de distracciones y de juegos verbales; verosímilmente, las dos tesis corresponden a dos maneras de intuir la realidad. Maurice de Wulf escribe: "El ultrarrealismo recogió las primeras adhesiones. El cronista Heriman (siglo XI) denomina *antiqui doctores* a los que enseñan la dialéctica *in re;* Abelardo habla de ella como de una *antigua doctrina,* y hasta el fin del siglo XII se aplica a sus adversarios el nombre de *moderni.*" Una tesis ahora inconcebible pareció evidente en el siglo IX, y de algún modo perduró hasta el siglo XIV. El nominalismo, antes la novedad de unos pocos, hoy abarca a toda la gente; su victoria es tan vasta y fundamental que su nombre es inútil. Nadie se declara nominalista porque no hay quien sea otra cosa. Tratemos de entender, sin embargo, que para los hombres de la Edad Media lo sustantivo no eran los hombres sino la humanidad, no los individuos sino la especie, no las especies sino el género, no los géneros sino Dios. De tales conceptos (cuya más clara manifestación es quizá el cuádruple sistema de Erígena) ha procedido, a mi entender, la literatura alegórica. Ésta es fábula de abstracciones, como la novela lo es de individuos. Las abstracciones están personificadas; por eso, en toda alegoría hay algo novelístico. Los individuos que los novelistas proponen aspiran a genéricos (Dupin es la Razón, Don Segundo Sombra es el Gaucho); en las novelas hay un elemento alegórico.

El pasaje de alegoría a novela, de especies a individuos, de realismo a nominalismo, requirió algunos siglos, pero me atrevo a sugerir un fecha ideal. Aquel día de 1382 en que Geoffrey Chaucer, que tal vez no se creía nominalista, quiso traducir al inglés el verso de Boccaccio *E con gli occulti ferri i Tradimenti* ("Y con hierros ocultos las Traiciones"), y lo repitió de este modo: *The smyler with the knyf under the cloke* ("El que sonríe, con el cuchillo bajo la capa"). El original está en el séptimo libro de la *Teseida;* la versión inglesa, en el *Knightes Tale.*

Buenos Aires, 1949

LAS KENNINGAR

En las historias de la literatura se lee que el verso germánico medieval constaba de dos hemistiquios: en el primero dos palabras aliteraban, es decir, empezaban con el mismo sonido; en el último, una palabra aliteraba con las dos anteriores. Esa estructura rigurosa no siempre corresponde a la realidad. Línea como *Ofer brade brimu Brytene sohtan* (Sobre el ancho mar buscaron a los Britanos), de la Oda de Brunanburh, donde el grupo consonántico *br* ocurre tres veces, son relativamente raras.

Genzmer ha escrito que el verso aliterativo es mejor que el rimado, ya que en él cada línea es una unidad, pero olvida que no permite la formación de estrofas. Al cabo de tres versos rimados,

Faltar pudo su patria al grande Osuna
Pero no a su defensa sus hazañas;
Diéronle muerte y cárcel las Españas,

el oído espera la repetición de la rima en *una*; al cabo de dos versos aliterados,

Ne bith him to hearpan hyge, ne to hring-thege
ne to wyfe wyn, ne to worulde hyht...,

[*No tiene ánimo para el arpa ni para la distribución de anillos ni para el goce de la mujer, ni para las esperanzas del mundo*]

nadie recuerda la aliteración inicial.

Deliberadamente, hemos elegido dos versos anglosajones con triple aliteración; ya hemos observado que, en general, éstos son infrecuentes. Veamos, por ejemplo, el fragmento heroico de Finnsburg, que es una de las piezas más antiguas de la poesía germánica. Data, verosímilmente, del octavo siglo de nuestra era o de fines del séptimo; de los cuarenta y ocho versos que lo integran, sólo veinte contienen las tres aliteraciones del canon, y los restantes se limitan a dos. Pasemos de un ejemplo anglosajón a un ejemplo alemán: el no menos famoso Cantar de Hildebrand, que data del siglo IX, pero cuya rusticidad y llaneza corresponden a una etapa muy primitiva.

Sesenta y siete versos lo forman; solo veinticinco encierran tres palabras aliteradas. Más preciso, pues, es hablar de voces acentuadas, marcadas, dentro de lo posible, por la aliteración. Es curioso observar que las vocales aliteraban entre sí, aunque eran abiertas. Esta asimilación de sonidos tan diferentes como la a y la u sólo se explica postulando una ligera aspiración inicial, un principio de hache, como en la entonación tucumana del español. El número de sílabas de cada verso era indeterminado.

La literatura empieza por la poesía, y la poesía por la épica; es, como si antes de hablar, el hombre cantara. Ya que el origen de la literatura es oral, esta prioridad bien puede atribuirse a la virtud mnemónica del verso. En el Indostán, según Winternitz, los códigos estaban redactados en verso, para que se fijaran en la memoria... Asimismo cabe pensar que el verso es un modelo que basta repetir; la prosa, en cambio, exige el hallazgo —como ha escrito Robert Louis Stevenson— de variaciones que constituyan al mismo tiempo un halago y una sorpresa.

Los temas de la épica son harto escasos; la aliteración obligó al poeta a forjar sinónimos. Como el griego, los idiomas germánicos permiten la formación de voces compuestas. Esta facilidad sugirió los sinónimos requeridos que, al principio, raras veces eran metáforas. Veamos, en el diccionario anglosajón de Bosworth y Toller, las cincuenta palabras compuestas, cuyo prefijo es *hild* (*guerra-batalla*). Seis, solamente, son metáforas:

hildegicel, carámbano de la guerra, gota de sangre, *hildeleoma,* resplandor de la batalla, espada, *hildenaedre,* serpiente de la batalla, dardo, *hildescur,* lluvia de la batalla, flechas, *hildeswat,* sudor de la batalla, sangre, *hildewulf,* lobo de la batalla, guerrero.

Kenning (kenningar en plural) es el nombre que dieron los escandinavos a estas metáforas. En Inglaterra, los poetas acabaron por sentir que tales figuras eran una suerte de lastre. Con el tiempo fue disminuyendo su empleo; las elegías anglosajonas del siglo IX ya contienen muy pocas, o sólo contienen aquellas que se oían como sinónimos habituales, no como metáforas.

Así, en este pasaje del *Navegante*:

singeth sumeres weard, sorge beodeth
bittre in breosthord...

[*Canta el guardián del verano (el cuclillo) presagiando amargos pesares al tesoro del pecho*],

es preferible ver en la última kenning un sinónimo de *corazón* y no una rebuscada perífrasis. *Breosthord,* por lo demás, ya figura en el Beowulf.

No así los skáld, los poetas cortesanos escandinavos. Éstos pensaron: Si la nave es el potro (o el ciervo, o el bisonte) del mar, y el mar es el camino de la ballena ¿por qué no llamar a la nave el potro del camino de la ballena? El método era peligroso y condujo a glaciales aberraciones como *alimentador de los cisnes de la cerveza de la batalla.* La cerveza de la batalla es la sangre; los cisnes que la beben, los cuervos; su alimentador, el guerrero que la derrama. Otro ejemplo: *el morador de lo alto de la bestia uncida de la ola,* la bestia uncida de la ola es la nave; lo alto de la nave es la popa; su morador, el capitán. Otro: *dispersador de las llamas del campo del halcón,* el campo del halcón es la muñeca; las llamas de la muñeca, las pulseras del oro resplandeciente; quien las dispersa, el rey generoso. Las primitivas kenningar eran ecuaciones de dos términos (agua de la espada = sangre); las ulteriores, lo fueron de muchos, que el auditorio debía despejar gradualmente. Su índole era técnica; el poeta, como Joyce o como Ezra Pound, versificaba para otros poetas, no para la emoción. Sería injusto omitir que las laboriosas perífrasis que hemos enumerado eran, en cada caso, una palabra única y asombrosa, hecha de sustantivos breves. *Mithgarth's ormr* es menos pesado que serpiente, del recinto del centro, serpiente que rodea la tierra.

Descifremos, ahora, algunas estrofas en que abundan las kenningar. Ésta, de la Saga de Njál:

El aniquilador de la prole de los gigantes
quebró al fuerte bisonte de la pradera de la gaviota
Así los dioses, mientras el guardián de la campana se
*   lamentaba,*
destrozaron el halcón de la ribera
De poco le valió el rey de los griegos
al caballo que corre por arrecifes.

El aniquilador de la prole de los gigantes es el dios Thor, cuyo nombre perdura en el día *Thursday*. El guardián de la campana es un ministro de la iglesia de Roma. El rey de los griegos es Jesucristo, por la vaga razón de que ése es uno de los títulos del emperador de Constantinopla, y de que Jesucristo no es menos. El bisonte del prado de la gaviota, el halcón de la ribera y el caballo que corre por arrecifes no son tres animales anómalos sino una sola nave maltrecha. De esas penosas ecuaciones sintácticas la primera es de segundo grado, puesto que la pradera de la gaviota ya es un nombre del mar... Desatados esos nudos parciales, dejo al lector la clarificación total de las líneas, un poco *décevante* por cierto. El germanista Niedner venera lo "humano-contradictorio" de esas figuras y las propone al interés "de nuestra moderna poesía, ansiosa de valores de realidad". Otro ejemplo, unos versos de Egil Skalagrimsson, que militó en la batalla de Brunanburh y celebró esa victoria de los sajones en una oda

que encierra una elegía a la memoria de su hermano
menor, que cayó junto a él:

Los teñidores de los dientes del lobo
Prodigaron la carne del cisne rojo.
El halcón del rocío de la espada
Se alimentó con héroes en la llanura.
Serpientes de la luna de los piratas
Cumplieron la voluntad de los Hierros.

Versos como el tercero y el quinto deparan, creo, una
satisfacción inmediata. Lo que procuran trasmitir es
indiferente; lo que sugieren, nulo. No invitan a soñar,
no provocan imágenes o pasiones; no son un punto de
partida, son términos.

El agrado —el suficiente y mínimo agrado— está en
su variedad, en el heterogéneo contacto de sus palabras.
No es imposible que así lo comprendieran los invento-
res y que su carácter de símbolos fuera un mero so-
borno a la razón. Los Hierros son las divinidades; la
luna de los piratas, el escudo; su serpiente, la lanza;
rocío de la espada, la sangre; su halcón, el cuervo; cisne rojo, todo pájaro ensangrentado; carne del cisne rojo,
los muertos; los teñidores de los dientes del lobo, los
victoriosos. La reflexión repudia esas conversiones. Luna
de los piratas no es la expresión más necesaria que
permite el escudo, pero es un hecho estético. Reducir
cada metáfora a una palabra no es despejar incógnitas:
es anular del todo el poema.

Baltasar Gracián y Morales, de la Sociedad de Jesús,
tiene en su contra unas trabajosas perífrasis, acerca
del estío o la aurora, de mecanismo parecido al de las
kenningar. En vez de proponerlas directamente, las fue
justificando y coordinando con recelo culpable. He aquí
el producto melancólico de ese afán:

Después que en el celeste Anfiteatro
El jinete del día
Sobre Flegetonte toreó valiente

Al luminoso Toro
Vibrando por rejones rayos de oro
Aplaudiendo sus suertes
El hermoso espectáculo de Estrellas
—Turba de damas bellas
que a gozar de su talle, alegre mora
Encima los balcones de la Aurora—;
Después que en singular metamorfosi
Con talones de pluma
Y con cresta de fuego
A la gran multitud de astros lucientes
(Gallinas de los campos celestiales)
Presidió Gallo el boquirrubio Febo
Entre los pollos del tindario Huevo,
Pues la gran Leda por traición divina
Si empolló clueca concibió gallina . . .

El frenesí gallináceo-taurino del reverendo Padre no
es el mayor pecado de su rapsodia. Peor es el aparato
lógico: la aposición de cada nombre y de su metáfora
atroz, la vindicación imposible de los dislates. El pasaje de Egil Skalagrimsson es un enigma, o siquiera
un problema; el del inverosímil español, una confusión.
Lo admirable es que Gracián fuera un buen prosista,
un escritor a veces capaz de artificios hábiles. Pruébelo
el desarrollo de esta sentencia, que es de su pluma:
Pequeño cuerpo de Chrysólogo, encierra espíritu gigante;
breve panegírico de Plinio se mide con la eternidad.

Predomina el carácter funcional en las kenningar. Definen los objetos por su figura menos que por su empleo. Suelen animar lo que tocan, sin perjuicio de invertir el procedimiento cuando su tema es vivo. Así,
llaman *lobo de las heridas* a la espada, *dragón de cadáveres* a la lanza, y *árbol de la espada* al guerrero. Fueron y están suficientemente perdidas, hecho que me ha
instigado a recordar esas hoy olvidadas flores verbales.

En el libro tercero de la *Retórica*, Aristóteles afirmó
que toda metáfora surge de la intuición de una analogía entre cosas disímiles; Middleton Murry exige que

222

la analogía sea real y que hasta entonces no haya sido observada. Sospecho que la última condición es innecesaria. Un epigrama de la Antología Griega declara *Quisiera ser la noche para mirarte con millares de ojos;* Chesterton define la noche como un monstruo hecho de ojos. Ambos ejemplos equiparan ojos y estrellas, pero el primero expresa la ansiedad, la ternura y la exaltación, y el segundo, el terror. Nuestra imaginación acepta las dos. Las *kenningar,* en cambio, son o parecen resultados de un proceso mental, que busca semejanzas fortuitas. No corresponden a ninguna emoción. Proceden de un laborioso juego combinatorio, no de una brusca percepción de afinidades íntimas. La mera lógica puede justificarlas, no el sentimiento.

Un ejemplo final, tomado del Beowulf. Es la palabra *ban-hus* (*bone house,* casa de los huesos), cuyo sentido es el cuerpo. La lógica la justifica, ya que el esqueleto mora en el cuerpo; la imaginación la rechaza, ya que la sangre que camina y la carne sensible son más vivas que el hueso.

Escasas disciplinas habrá de mayor interés que la etimología; ello se debe a las imprevisibles trasformaciones del sentido primitivo de las palabras, a lo largo del tiempo. Dadas tales trasformaciones, que pueden lindar con lo paradójico, de nada o de muy poco nos servirá para la aclaración de un concepto el origen de una palabra. Saber que cálculo, en latín, quiere decir piedrita y que los pitagóricos las usaron antes de la invención de los números, no nos permite dominar los arcanos del álgebra; saber que hipócrita era actor, y persona, máscara, no es un instrumento valioso para el estudio de la ética. Parejamente, para fijar lo que hoy entendemos por clásico, es inútil que este adjetivo descienda del latín *classis,* flota, que luego tomaría el sentido de orden. (Recordemos, de paso, la información análoga de *ship-shape.*)

¿Qué es, ahora, un libro clásico? Tengo al alcance de la mano las definiciones de Eliot, de Arnold y de Sainte-Beuve, sin duda razonables y luminosas, y me sería grato estar de acuerdo con esos ilustres autores, pero no los consultaré. He cumplido sesenta y tantos años; a mi edad, las coincidencias o novedades importan menos que lo que uno cree verdadero. Me limitaré, pues, a declarar lo que sobre este punto he pensado.

Mi primer estímulo fue una *Historia de la literatura china* (1901) de Herbert Allen Giles. En su capítulo segundo leí que uno de los cinco textos canónicos que Confucio editó es el Libro de los Cambios o *I King,* hecho de 64 hexagramas, que agotan las posibles combinaciones de seis líneas partidas o enteras. Uno de los esquemas, por ejemplo, consta de dos líneas enteras, de una partida y de tres enteras, verticalmente dispuestas. Un emperador prehistórico los habría descubierto en la caparazón de una de las tortugas sagradas. Leibniz creyó ver en los hexagramas un sistema binario de numeración; otros, una filosofía enigmática; otros, como Wilhelm, un instrumento para la adivinación del futuro, ya que las 64 figuras corresponden a las 64 fases de cualquier empresa o proceso; otros, un vocabulario de cierta tribu; otros, un calendario. Recuerdo que Xul-Solar solía reconstruir ese texto con palillos o fósforos. Para los extranjeros, el Libro de los Cambios corre el albur de parecer una mera *chinoiserie*; pero generaciones milenarias de hombres muy cultos lo han leído y referido con devoción y seguirán leyéndolo. Confucio declaró a sus discípulos que si el destino le otorgara cien años más de vida consagraría la mitad a su estudio y al de los comentarios o *alas*.

Deliberadamente he elegido un ejemplo extremo, una lectura que reclama un acto de fe. Llego, ahora, a mi tesis. Clásico es aquel libro que una nación o un grupo de naciones o el largo tiempo han decidido leer como si en sus páginas todo fuera deliberado, fatal, profundo como el cosmos y capaz de interpretaciones sin término. Previsiblemente, esas decisiones varían. Para los alemanes y austriacos el Fausto es una obra genial; para otros, una de las más famosas formas del tedio, como el segundo Paraíso de Milton o la obra de Rabelais. Libros como el de Job, la Divina Comedia, Macbeth (y, para mí, algunas de las sagas del Norte) prometen una larga inmortalidad, pero nada sabemos del porvenir, salvo que diferirá del presente. Una preferencia bien puede ser una superstición.

No tengo vocación de iconoclasta. Hacia el año treinta creía, bajo el influjo de Macedonio Fernández, que la belleza es privilegio de unos pocos autores; ahora sé que es común y que está acechándonos en las casuales páginas del mediocre o en un diálogo callejero. Así, mi desconocimiento de las letras malayas o húngaras es total, pero estoy seguro de que si el tiempo me depara la ocasión de su estudio, encontraría en ellas todos los alimentos que requiere el espíritu. Además de las barreras lingüísticas intervienen las políticas o geográficas. Burns es un clásico en Escocia; al sur del Tweed interesa menos que Dunbar o que Stevenson. La gloria de un poeta depende, en suma, de la excitación o de la apatía de las generaciones de hombres anónimos que la ponen a prueba, en la soledad de sus bibliotecas.

Las emociones que la literatura suscita son quizá eternas, pero los medios deben constantemente variar, siquiera de un modo levísimo, para no perder su virtud. Se gastan a medida que los reconoce el lector. De ahí el peligro de afirmar que existen obras clásicas y que lo serán para siempre.

Cada cual descree de su arte y de sus artificios. Yo, que me he resignado a poner en duda la indefinida perduración de Voltaire o de Shakespeare, creo (esta tarde de uno de los últimos días de 1965) en la de Schopenhauer y en la de Berkeley.

Clásico no es un libro (lo repito) que necesariamente posee tales o cuales méritos; es un libro que las generaciones de los hombres, urgidas por diversas razones, leen con previo fervor y con una misteriosa lealtad.

impreso en castillo
fresno 7 col. el manto
del. iztapalapa
un mil ejemplares y sobrantes
27 de agosto de 1994